Índice
TABLE INHALTSVERZEICHNIS

Para comezar

POUR COMMENCER ZUM AUFTAKT

Historia da lingua galega

O galego provén basicamente do latín chegado ao noroeste peninsular no século I d. C. Neste territorio de tardía romanización, denominado Gallaecia, o latín foi evolucionando ata dar paso, ao redor do século VIII, a unha nova lingua. Grazas ao peso cultural que daquela tiña Galicia, o galego foi vehículo predominante da lírica, da poesía relixiosa e da prosa na Península Ibérica desde o século XII ata o XV.

Tras as loitas da reconquista no século XV, a situación política mudou e, con ela, a lingüística: o galego foi relegado aos usos orais, principalmente das clases humildes. Foron os chamados Séculos Escuros.

No século XIX, no seo do Romanticismo e dos movementos nacionalistas, tivo lugar un rexurdir da lingua de Galicia, que iniciou un proceso de rexeneración e cultivo literario e que mesmo viu instituída en 1906 a súa Real Academia Galega.

As aspiracións dos movementos galeguistas víronse truncadas pola sublevación falanxista do ano 1936. A ditadura franquista supuxo un período de persecución e penalización do galego. A democracia trouxo a Constitución de 1978 e o Estatuto de autonomía de Galicia en 1981, que asegura a cooficialidade das linguas galega e castelá dentro do territorio autonómico.

Desde aquela, a lingua galega foi recuperando usos en contextos nos que estivera restrinxida: empresas, organismos oficiais, etc. Hoxe é lingua da escola, das institucións, da televisión e da radio públicas, etc.

O certo é que os galegos e as galegas amamos a nosa lingua e encántanos compartila convosco. Animádevos a intentar falala. Agradecemos moito os vosos esforzos!

O galego
Le Galicien Galicisch

O galego é a lingua de Galicia. Cooficial xunto co castelán, é falada polo 91% da poboación e é lingua cotiá na rúa, no Parlamento, na escola, nos medios de comunicación, etc. Pola súa orixe latina, é doado chegar a ela desde o portugués, desde o castelán ou, mesmo, desde o italiano.

Aprender algunhas frases en galego para vos achegardes aos galegos e ás galegas durante a vosa estadía en Galicia é unha boa maneira de coñecer mellor o país e as xentes. Ademais da paisaxe e da cultura, gozaredes das persoas!

ⓘ Histoire de la langue galicienne

Le galicien provient essentiellement du latin parvenu au nord-ouest de la Péninsule ibérique au 1er siècle après Jésus-Christ. C'est sur ce territoire tardivement romanisé, une province du nom de Gallaecia, que le latin a évolué jusqu'à donner naissance à une nouvelle langue aux alentours du VIIIe siècle. Grâce au poids culturel de la Galice à l'époque, le galicien fut le véhicule primordial des genres littéraires lyriques, de la poésie religieuse et de la prose dans la Péninsule ibérique du XIIe au XVe siècles.

Au terme des luttes pour la reconquête au XVe siècle, la situation politique comme la situation linguistique changèrent: le galicien s'est vu relégué aux usages oraux, principalement des classes moins favorisées. On a ainsi appelé cet âge du nom de Siècles Obscurs.

C'est au XIXe siècle, en pleine époque romantique et de mouvements nationalistes, que prend place le renouveau de la langue galicienne, à travers un processus de régénération et de culture littéraire qui a même débouché en 1906 sur la création de la Real Academia Galega.

Les aspirations des mouvements défenseurs du galicien ont été tranchées par le soulèvement phalangiste de 1936. La dictature franquiste soumit alors le galicien à une période de condamnation et de persécution. Cependant la démocratie a donné lieu à la Constitution espagnole de 1978 ainsi qu'au Statut d'Autonomie de la Galice en 1981, qui garantit la coofficialité des langues galicienne et espagnole dans le territoire de la Communauté autonome de Galice.

Depuis, la langue galicienne a peu à peu repris des usages dans des contextes dans lesquels sa présence avait été limitée: monde de l'entreprise, organismes officiels, etc. Aujourd'hui le galicien est la langue de l'école, des institutions, de la télévision et de la radio publiques, etc.

Voilà pourquoi nous, Galiciens et Galiciennes, raffolons de notre langue et aimons la partager; ce sont là de bonnes raisons pour vous encourager à la parler et nous vous remercions de votre effort!

LE GALICIEN

Le galicien est la langue de la Galice, où elle partage la coofficialité avec l'espagnol. 91 % de la population parle le galicien, qui est la langue quotidienne dans la rue, au Parlement, à l'école ou encore dans les média. Son origine latine la rend facilement accessible depuis des langues romanes comme le portugais, l'espagnol, voire l'italien.

Apprendre quelques phrases en galicien pendant votre séjour en Galice c'est une bonne façon de découvrir le pays et ses habitants.

Outre le paysage et la culture, vous profiterez du contact avec les gens!

⒚ Die galicische Sprache

Die galicische Sprache stammt hauptsächlich vom Latein ab, welches im 1. Jahrhundert n. Chr. bis in den Nordwesten der Iberischen Halbinsel vordrang. In dieser spät romanisierten Gegend, die Gallaecia genannt wurde, hat sich das Latein im 8. Jahrhundert langsam zu einer neuen Sprache entwickelt. Dank der kulturellen Bedeutung, die Galicien damals hatte, war die galicische Sprache vom 12. bis zum 15. Jahrhundert auf der Iberischen Halbinsel die vorherrschende Sprache der Lyrik, der religiösen Poesie und der Prosa.

Nach den Kämpfen der Reconquista (Rückeroberung) im 15. Jahrhundert veränderte sich die politische Lage und damit auch die sprachliche Situation. Die galicische Sprache wurde nur noch mündlich und hauptsächlich von den einfachen Bevölkerungsschichten gebraucht. Dies waren die sogennanten Séculos Escuros (Dunkle Jahrhundert).

Im 19. Jahrhundert, im Zusammenhang mit der Romantik und den nationalistischen Bewegungen, begann die Wiedergeburt der galicischen Sprache, die einen Erneuerungsprozess und die Weiterentwicklung als Literatursprache mit sich brachte und 1906 sogar zur Gründung der Real Academia Galega (Galicische Akademie für Sprache und Literatur) führte.

Die Bemühungen der galicischen regionalistischen Bewegungen, der Sprache wieder mehr Bedeutung zukommen zu lassen, wurden durch die falangistischen Aufstände von 1936 zunichte gemacht. Die Franco-Diktatur bedeutete für die galicische Sprache eine Zeit der Verfolgung und Unterdrückung. Nach der Rückkehr zur Demokratie wurden die spanische Verfassung von 1978 und das galicische Autonomiestatut von 1981 verabschiedet, durch das die galicische und die spanische Sprache als koofizielle Amtssprachen der Autonomen Gemeinschaft festgelegt werden.

Seitdem kann die galicische Sprache in den verschiedenen Bereichen, in denen sie zuvor eingeschränkt worden war, wieder verwendet werden: in Unternehmen, Behörden usw. Heute wird Galicisch an den Schulen, in den öffentlichen Institutionen, im Fernsehen und im Radio gesprochen.

Soviel ist sicher: Wir Galicier und Galicierinnen lieben unsere Sprache und möchten sie gern mit anderen teilen. Also, probiert es doch mal! Wir freuen uns über jeden Versuch und danken Ihnen für Ihre Bemühungen.

GALICISCH

Galicisch ist die Sprache der Galicier und Galicierinnen. Zusammen mit dem Spanischen ist es die offizielle Sprache Galiciens, die von 91% der Bevölkerung gesprochen und täglich auf der Straße, im Parlament, in der Schule, in den Medien usw. gebraucht wird.

Aufgrund ihrer lateinischen Herkunft fällt es dem portugiesischen, spanischen und sogar dem italienischen Muttersprachler leicht sie zu verstehen.

Einige Sätze Galicisch zu lernen ist eine gute Möglichkeit nicht nur das Land, sondern auch seine Bewohner besser kennen zu lernen. So werden Sie nicht nur die Landschaft und die Kultur, sondern auch den Kontakt mit den Menschen hier in Galicien noch intensiver erleben und genießen können.

9

O alfabeto galego

L´ALPHABET GALICIEN DAS GALICISCHE ALPHABET

Como soa?

À QUOI RESSEMBLE LE SON DU GALICIEN?

WIE KLINGT ES?

LETRA	
Lettre	Équivalence phonétique en français
Buchstabe	Phonetische Äquivalenz auf Deutsch

Aa	**a** wie *a* in m*a*cht, kn*a*cken (immer kurz)	**Ee**	est normalement prononcé comme e dans *met, rester* wie *e* in L*e*nz, T*e*st
Bb	**b** **b** (nicht behaucht)	**Ff**	**f** **f,v**
Cc	Devant *e* et *i* comme le **th** anglais dans <u>th</u>in (<u>c</u>ereixa, <u>c</u>iscar). Devant *a, o, u* comme *c* dans <u>c</u>asser, <u>c</u>ouler (<u>c</u>ousa, <u>c</u>uste) Vor *e* und *i* wie englisches th in <u>th</u>in (<u>c</u>ereixa, <u>c</u>iscar). Vor *a, o, u* als deutsches **k** aussprechen, jedoch nicht behaucht (<u>c</u>atro, <u>c</u>ousa, <u>c</u>uste)	**Gg**	comme *g* dans *garder, goinfre* (s'écrit gue, gui devant *e* et *i*) wie *g* in *glauben*, genau (vor e und i wird gue, gui geschrieben)
		Hh	consonne toujours muette stummer Buchstabe, wird nicht gesprochen
		Ii	**i** wie *i* in st*i*ckt, M*i*lch
Dd	**d** **d**	**Ll**	**l** **l**

Mm	**m** m
Nn	**n** n
Ññ	**gn** (comme *gagner*) Wie franz. **gn** in *Champagne*, ital. *Sardegna*
Oo	**o** wie **o** in *Bock, Dolch*
Pp	**p** **p** (nicht behaucht)
Qq	**q** kommt immer als *que* und *qui* vor und wird *ke, ki* ausgesprochen
Rr	**r** vibrant, comme en italien (peut être double ou simple: *caro-carro, para-parra*) rollendes r, wenn doppelt noch stärker: *caro-carro, para-parra*
Ss	toujours comme **s** dans *service, Suisse* ß
Tt	**t** **t** (nicht behaucht)
Uu	**ou** **u** (immer kurz). In den Verbindungen *gue, gui, que, qui* nicht aussprechen
Vv	**b** (en galicien, aucune différence de prononciation entre **b** et **v**) **b** (nicht behaucht)
Xx	**ch** (dans quelques cas le **x** se prononce comme en français : *explicar, taxi*) **sch** (in einigen Fällen jedoch wie deutsches x ausgesprochen: *explicar, taxi*)
Zz	comme le **th** anglais dans *thin* wie englisches **th** in *thin*

Existen as seguintes combinacións de letras, que producen novos sons:
Certaines combinaisons de consonnes ont une prononciation particulière:
Diese Buchstabenkombinationen ergeben folgende Laute:

Nh	comme **ng** en anglais: *song, talking* wie ng in *sang, lang*
Ch	**tch** (comme *Tchad, tchèque*) wie **tsch**
Ll	ll dans *famille, grenouille*, mais un peu plus fort ungefähr wie deutsches **j**, aber stärker
J **K** **W** **Y**	existent seulement dans des mots d'origine étrangère au galicien. kommen nur in Fremdwörtern vor.

Para ter sempre á man;
para ter sempre na boca

À AVOIR SOUS LA MAIN ET TOUJOURS SUR LE BORD DES LÈVRES!

IMMER ZUR HAND UND IN ALLER MUNDE!

Frases útiles

PHRASES UTILES NÜTZLICHE SÄTZE

Ola!	Salut! / Bonjour! Hallo!
Bos días!	Bonjour! Guten Morgen/Guten Tag!
Boas tardes!	Bonjour (en début d'après-midi) Bonsoir (l'après-midi et en soirée) Guten Abend!
Boas noites!	Bonsoir (en fin de soirée ou la nuit) Bonne nuit (avant d'aller se coucher) Guten Abend/Gute Nacht!
Que tal?	Comment ça va? Wie geht's?
Moi ben	Très bien Sehr gut

Graciñas/Grazas	Merci Danke
Deica logo!	À bientôt! Bis bald!/Tschüss!
Abur!	Au revoir! Tschüss!
Si	Oui Ja
Non	Non Nein
Eu tamén	Moi aussi Ich auch
Eu tampouco	Moi non plus Ich auch nicht
Perdoe	Excusez-moi Verzeihung/Entschuldigen Sie/Entschuldigung
Por favor	S'il vous plaît Bitte
Non falo ben galego, un chisco nada máis	Je ne parle pas bien le galicien, juste un tout petit peu Ich spreche nicht gut Galicisch, nur ein bisschen
Estou en Galicia de vacacións	Je suis en vacances en Galice Ich bin in Galicien im Urlaub
Non entendo. Pódemo repetir, por favor?	Je ne comprends pas. Pourriez-vous répéter s'il vous plaît? Ich verstehe nicht. Können Sie bitte wiederholen?
Pode falar máis amodo?	Pourriez-vous parler plus lentement? Können Sie bitte langsamer sprechen

Síntoo, pero non son de aquí	Désolé, je ne suis pas galicien Es tut mir Leid, aber ich bin nicht von hier
Moi amable	C'est très gentil Sehr freundlich/Das ist nett von Ihnen
Pódeme axudar?	Pourriez-vous m'aider? Können Sie mir helfen?
Socorro!	Au secours! Hilfe!
Quería...	Je voudrais... Ich möchte...
Onde está...?	Où est...? Wo ist...?
Por favor, para ir a...?	S'il vous plaît, pour aller à...? Entschuldigung, wie komme ich zu/nach...?
Á esquerda	À gauche Links
Á dereita	À droite Rechts
Todo dereito	Tout droit Immer geradeaus
Perdémonos, como se vai a...?	Nous nous sommes perdus; comment faire pour aller à...? Wir haben uns verlaufen. Wie kommen wir zu/nach...?

Ao teléfono
Au téléphone
Am Telefon

Ola, quería falar con...	Bonjour, je voudrais parler à... Hallo, ich möchte mit ... sprechen
Si? Quen é?	Allô, qui est à l'appareil? Ja? Wer ist da?
Chamo máis tarde, teño mala cobertura	Je rappellerai plus tard, je n'ai pas de réseau Ich rufe später an. Ich habe schlechten Empfang

Teléfonos de urxencia
Numéros de téléphone d'urgence
Notfalltelefonnummern

Urxencias xerais	**112**	Numéro d'appel d'urgence (allgemeine) Notfälle
Policía	**091**	Police Polizei
Ambulancias	**961**	Ambulances Krankenwagen

19

PARA TER SEMPRE Á MAN; PARA TER SEMPRE NA BOCA
À AVOIR SOUS LA MAIN ET TOUJOURS SUR LE BORD DES LÈVRES!!
IMMER ZUR HAND UND IN ALLER MUNDE!

Para contar. Os números
Savoir compter. Les numéros Die Zahlen

1	**un/unha** un/une eins		11	**once** onze elf
2	**dous/dúas** deux zwei		12	**doce** douze zwölf
3	**tres** trois drei		13	**trece** treize dreizehn
4	**catro** quatre vier		14	**catorce** quatorze vierzehn
5	**cinco** cinq fünf		15	**quince** quinze fünfzehn
6	**seis** six sechs		16	**dezaseis** seize sechzehn
7	**sete** sept sieben		17	**dezasete** dix-sept siebzehn
8	**oito** huit acht		18	**dezaoito** diz-huit achtzehn
9	**nove** neuf neun		19	**dezanove** dix-neuf neunzehn
10	**dez** dix zehn		20	**vinte** vingt zwanzig

21	**vinte e un** vingt-et-un einundzwanzig	101	**cento un** cent un einhunderteins
22	**vinte e dous** vingt-deux zweiundzwanzig	...103	**cento tres** cent trois einhundertdrei
23	**vinte e tres** vingt-trois dreiundzwanzig	200	**douscentos** deux cents zweihundert
24	**vinte e catro** vingt-quatre vierundzwanzig	300	**trescentos** trois cents dreihundert
25	**vinte e cinco** vingt-cinq fünfundzwanzig	400	**catrocentos** quatre cents vierhundert
30	**trinta** trente dreißig	500	**cincocentos** cinq cents fünfhundert
40	**corenta** quarante vierzig	600	**seiscentos** six cents sechshundert
50	**cincuenta** cinquante fünfzig	700	**setecentos** sept cents siebenhundert
60	**sesenta** soixante sechzig	800	**oitocentos** huit cents achthundert
70	**setenta** soixante-dix siebzig	900	**novecentos** neuf cents neunhundert
80	**oitenta** quatre-vingts achtzig	1.000	**mil** mille tausend
90	**noventa** quatre-vingt-dix neunzig	...2.000	**dous mil** deux millle zweitausend
100	**cen** cent einhundert		

Carteis frecuentes
Signalétique fréquente Häufige Schilder

Benvidos
Bienvenue
Willkommen

Saida/Entrada
Sortie/Entrée
Ausgang/Eingang

Praias
Plages
Strände

Autoestrada
Autoroute
Autobahn

Peaxe
Péage
Autobahngebühr

Aberto/Pechado
Ouvert/Fermé
Offen/Geschlossen

Camiño de Santiago
Chemin de Saint-Jacques
Jakobsweg

Festa popular
Fête populaire
Volksfest

Homes/Mulleres
Hommes/Dames
Männer/Frauen

Perigo
Danger
Gefahr

Prohibido verter lixo
Dépôt d'ordures interdit
Müllabladen verboten

Prohibido o baño
Baignade interdite
Baden verboten

Auga potable
Eau potable
Trinkwasser

Cans ceibos
Chiens sans laisse
Freilaufende Hunde

Non pisar o céspede
Défense de marcher
sur la pelouse
Rasen betreten verboten

Non fumar
Interdit de fumer
Rauchen verboten

Non funciona
En panne
Außer Betrieb

RESERVADO

Reservado
Réservé
Reserviert

Saída de urxencia
Issue de secours
Notausgang

Benvidos a Galicia, benvidos ao galego

BIENVENUE EN GALICE, BIENVENUE AU GALICIEN
WILLKOMMEN IN GALICIEN UND DER GALICISCHEN SPRACHE

Saúdos e presentacións

LE SALUT ET LES PRÉSENTATIONS BEGRÜßUNG UND VORSTELLUNG

Ola!
SALUT/BONJOUR! HALLO!

Ola!
Salut/bonjour!
Hallo!

Bos días!
Bonjour!
Guten Morgen/Guten Tag!

Boas tardes!
(A partir das 14:00 h)
Bonjour/Bonsoir! (Après 14:00 h.)
Guten Tag! (ab 14:00 Uhr)
Guten Abend! (ab 18:00 Uhr)

Boas noites!
(A partir das 21:00 h)
Bonsoir!/Bonne nuit! (Après 21:00 h.)
Guten Abend! Gute Nacht! (ab 21:00 Uhr)

Que tal?	Ça va? Wie geht's?
Como estás?	Comment vas-tu? Wie geht es dir?
Como está?*	Comment allez-vous?* Wie geht es Ihnen?*
Ben/moi ben	Bien/très bien Gut/Sehr gut
Eu ben, e ti?	Moi ça va, et toi? Gut, und dir?
Estamos aínda algo cansos; chegamos onte á noite	Nous sommes encore un peu fatigués; nous sommes arrivés hier soir Wir sind noch ein bisschen müde; wir sind gestern Abend/Nacht angekommen
Eu chámome...	Je m'appelle... Ich heiße ....
Ti como te chamas?	Comment t'appelles-tu? Wie heißt du?
Vostede como se chama?	Comment vous appelez-vous? Wie heißen Sie?
Encantada	Ravie Angenehm/Sehr erfreut
Igualmente	Moi aussi Gleichfalls
Si, viaxo só	Oui, je voyage seul Ja, ich reise allein

---

* O tratamento de vostede dáse coa xente maior. Non é costume entre os máis novos
* Le vouvoiement est surtout utilisé pour s'adresser aux personnes âgées
* Siezen tut man nur ältere Leute. Unter jungen Leuten ist es nicht üblich

Este é o meu mozo	Voici mon copain Das ist mein Freund
Esta é a miña moza	Voici ma copine Das ist meine Freundin
Este é o meu home	Voici mon mari Das ist mein Mann
Esta é a miña muller	Voici ma femme Das ist meine Frau
Este é o meu fillo	Voici mon fils Das ist mein Sohn
Esta é a miña filla	Voici ma fille Das ist meine Tochter
Viñemos en familia	Nous sommes venus en famille Wir sind mit der ganzen Familie gekommen
É unha amiga miña	C'est une amie à moi Das ist eine Freundin von mir
É un amigo meu	C'est un ami à moi Das ist ein Freund von mir
Somos un grupo de amigos	Nous sommes un groupe d'amis Wir sind eine Freundesgruppe
Viñemos todos xuntos de vacacións	Nous sommes tous venus ensemble en vacances Wir sind alle zusammen hier im Urlaub
De onde es?	D'où es-tu? Woher kommst du?
De onde é?	D'où êtes-vous? Woher kommen Sie?
Ti es de aquí?	Es-tu d'ici? Bist du von hier?
Vostede é de aquí?	Êtes-vous d'ici? Sind Sie von hier?
Eu son francés	Je suis français Ich bin Franzose

Eu son...
Je suis... Ich bin....

francés/francesa
Français/Française
Franzose/Französin

alemán/alemá
Allemand/Allemande
Deutscher/Deutsche

italiano/italiana
Italien/Italienne
Italiener/-in

ruso/rusa
Russe
Russe/-in

inglés/inglesa
Anglais/Anglaise
Engländer/-in

portugués/portuguesa
Portugais/Portugaise
Portugiese/-in

suízo/suíza
Suisse
Schweizer/-in

brasileiro/brasileira
Brésilien/Brésilienne
Brasilianer/-in

checo/checa
Tchèque
Tscheche/-in

canadense
Canadien/Canadienne
Kanadier/-in

xaponés/xaponesa
Japonais/Japonaise
Japaner/-in

polonés/polonesa
Polonais/Polonaise
Pole/-in

estadounidense
Américain/Américaine
Amerikaner/-in

catalán/catalá
Catalan/Catalane
Katalane/-in

vasco/vasca
Basque
Baske/-in

español/española
Epagnol/Espagnole
Spanier/-in

irlandés/irlandesa
Irlandais/Irlandaise
Ire/-in

holandés/holandesa
Hollandais/Hollandaise
Holländer/-in

chinés/chinesa
Chinois/Chinoise
Chinese/-in

belga
Belge
Belgier/-in

Son de Madrid	Je viens de Madrid Ich komme aus Madrid
Somos de Alemaña	Nous sommes d'Allemagne Wir kommen aus Deutschland
Vimos do Brasil	Nous venons du Brésil Wir leben in Brasilien
Non falo ben o galego, un pouquiño nada máis	Je ne parle pas bien le galicien, juste un tout petit peu Ich spreche nicht gut Galicisch, nur ein bisschen
Enténdesme?	Tu me comprends? Verstehst du mich?
Perdoa, pero non entendín o que dixeches	Excuse-moi, mais je n'ai pas compris ce que tu as dit Entschuldigung, aber ich habe nicht verstanden, was du gesagt hast
Podes escribir a palabra, por favor?	Est-ce que tu peux écrire le mot, s'il te plaît? Könntest du das Wort bitte schreiben?
Estou en Galicia de vacacións. Gústame moito	Je suis en vacances en Galice. J'adore Ich bin in Galicien im Urlaub. Es gefällt mir sehr
Déixame o teu número de teléfono, se queres	Si tu veux, donne-moi ton numéro de téléphone Gib mir deine Telefonnummer, wenn du willst
Se me dás o teu enderezo, envíoche as fotos	Si tu me donnes ton adresse, je t'envoie les photos Wenn du mir deine Adresse gibst, schicke ich dir die Fotos
Deica logo! Abur!	À plus tard! Au revoir! Bis bald! Tschüss!

Información turística, chegada e aloxamento

INFORMATION TOURISTIQUE, L'ARRIVÉE ET LE LOGEMENT

TOURISTENINFORMATION, ANKUNFT UND UNTERKUNFT

Aquí estamos!
NOUS VOILÀ! DA SIND WIR!

información turística
information touristique
Touristeninformation

coche
voiture
Wagen

tren
train
Zug

autobús
bus
Bus

billete
guichet
Fahrschein

alugamento de vehículos
location de véhicules
Autoverleih

parada de autobús
arrêt de bus
Bushaltestelle

estación do tren
gare ferroviaire
Bahnhof

H

INFORMACIÓN TURÍSTICA, CHEGADA E ALOXAMENTO
INFORMATION TOURISTIQUE, L'ARRIVÉE ET LE LOGEMENT
TOURISTENINFORMATION, ANKUNFT UND UNTERKUNFT

Por favor, a saída á rúa?	La sortie, s'il vous plaît? Entschuldigung, wie komme ich auf die Straße?
Onde está a oficina de información turística?	Le bureau de tourisme, s'il vous plaît? Wo ist das Fremdenverkehrsbüro?
Está no centro	C'est au centre-ville Es ist im Stadtzentrum
Está nas aforas da cidade	Il se trouve en banlieue Es ist außerhalb der Stadt
Como se vai?	Comment faire pour y aller? Wie komme ich dort hin?
Todo recto	Tout droit Immer geradeaus
Á esquerda	À gauche Links
Á dereita	À droite Rechts
Queda moi lonxe/preto?	Est-ce que c'est très loin/près? Ist es sehr weit entfernt/Ist es in der Nähe?
A cinco minutos	À cinq minutes Fünf Minuten von hier aus
Precisamos coller un autobús?	Il faut prendre un bus? Müssen wir den Bus nehmen?
Onde hai unha parada de taxis?	Où est-ce qu'on peut trouver une station de taxi? Wo ist eine Taxihaltestelle?
A estación do tren, por favor?	La gare ferroviaire, s'il vous plaît? Den Bahnhof, bitte?

Bos días, acabamos de chegar. Non temos aloxamento reservado	Bonjour, nous venons d'arriver. Nous n'avons pas réservé de logement Guten Tag, wir sind gerade angekommen. Wir haben kein Zimmer reserviert
Pódenos aconsellar un hotel céntrico?	Pourriez-vous nous conseiller un hôtel au centre-ville? Könnten Sie uns ein zentral gelegenes Hotel empfehlen?
Coñece algún cámping bo?	Connaissez-vous un bon camping? Kennen Sie einen guten Campingplatz?
Hai algunha casa de turismo rural preto de aquí?	Y a-t-il un gîte rural près d'ici? Ist hier in der Nähe ein Landhotel?
Onde nos poden informar?	Où peut-on avoir des renseignements? Wo können wir uns erkundigen?
Temos coche	Nous avons une voiture Wir haben einen Wagen
Non temos coche	Nous n'avons pas de voiture Wir haben keinen Wagen
Somos tres persoas	Nous sommes trois personnes Wir sind drei Personen
Busco un hotel preto da praia	Je cherche un hôtel près de la plage Ich suche ein Hotel in Strandnähe

Gustábame atopar unha casa de turismo rural nun sitio tranquilo	J'aimerais trouver un gîte rural dans un endroit tranquille
	Ich suche ein Landhotel an einem ruhigen Ort
A canto está de aquí o cámping?	Le camping est à combien d'ici?
	Wie weit entfernt liegt der Campingplatz?
Canto se tarda en chegar a ese hotel desde aquí?	L'hôtel est à combien d'ici?
	Wie lange dauert es von hier aus bis zu diesem Hotel?
Queriamos quedar dúas noites	Nous voudrions rester deux nuits
	Wir möchten zwei Nächte verbringen
Temos previsto quedar ata a semana que vén	Nous envisageons de rester jusqu'à la semaine prochaine
	Wir haben vor bis nächste Woche zu bleiben

luns
Lundi
Montag

martes
Mardi
Dienstag

mércores
Mercredi
Mittwoch

xoves
Jeudi
Donnerstag

venres
Vendredi
Freitag

sábado
Samedi
Samstag

domingo
Dimanche
Sonntag

INFORMACIÓN TURÍSTICA, CHEGADA E ALOXAMENTO
INFORMATION TOURISTIQUE, L'ARRIVÉE ET LE LOGEMENT
TOURISTENINFORMATION, ANKUNFT UND UNTERKUNFT

onte
hier
Gestern

hoxe
aujourd'hui
Heute

mañá
demain
Morgen

a semana que vén
la semaine prochaine
nächste Woche

á mañá

le matin
am Morgen

á tarde

l'après-midi/le soir
am Nachmittag

á noite

le soir
am Abend/in der Nacht

Marchamos dentro de tres días	Nous partons dans trois jours Wir reisen in drei Tagen ab
Recolleremos as maletas mañá á tarde	Nous reprendrons nos bagages demain après midi/demain soir Wir holen die Koffer morgen Nachmittag ab

No hotel/Na casa rural
À l'hôtel/Au gîte rural Im Hotel/Landhotel

Bos días. Temos reservado un cuarto a nome de…	Bonjour. Nous avons réservé une chambre au nom de… Guten Tag! Wir haben ein Zimmer unter dem Namen… reserviert
Boas noites. Acabamos de chegar e non temos cuarto	Bonsoir. Nous venons juste d'arriver et nous n'avons pas réservé de chambre Guten Abend! Wir sind gerade angekommen und haben noch kein Zimmer reserviert
Quédalle algún cuarto libre?	Est-ce qu'il vous reste une chambre de libre? Haben Sie noch Zimmer frei?
Síntoo, pero está todo ocupado. Non nos quedan cuartos	Désolé, mais c'est complet. Nous n'avons plus de chambres disponibles Es tut mir Leid, aber es ist alles besetzt. Wir haben keine Zimmer mehr
Cal é o prezo por noite?	Quel est le prix par nuitée? Wie viel kostet es pro Nacht?

INFORMACIÓN TURÍSTICA, CHEGADA E ALOXAMENTO
INFORMATION TOURISTIQUE, L'ARRIVÉE ET LE LOGEMENT
TOURISTENINFORMATION, ANKUNFT UND UNTERKUNFT

cuarto dobre

chambre double
Doppelzimmer

cuarto individual

chambre individuelle
Einzelzimmer

cama de matrimonio

lit double
Ehebett

cama supletoria

lit supplémentaire
Zusätzliches Bett

berce

berceau
Wiege

Quédanlle cuartos dobres? Con dúas camas, por favor	Est-ce qu'il vous reste des chambres doubles? À deux lits, s'il vous plaît Sind noch Doppelzimmer frei? Mit zwei Betten, bitte
Quería un cuarto dobre, con cama de matrimonio	Je voudrais une chambre double avec un seul lit Ich möchte ein Doppelzimmer mit Ehebett
Quería un cuarto individual	Je voudrais une chambre individuelle Ich möchte ein Einzelzimmer
Pódese engadir unha cama supletoria?	Peut-on disposer d'un lit supplémentaire? Können Sie ein weiteres Bett dazu stellen?
Teñen un berce para o bebé?	Avez-vous un berceau pour le bébé? Haben Sie eine Wiege für das Baby?
O almorzo está incluído?	Le petit-déjeuner est compris? Ist das Frühstück im Preis eingeschlossen?

Precisa os meus datos: nome, número de teléfono, enderezo?	Avez-vous besoin de mes coordonnées: nom, numéro de téléphone, adresse?
	Brauchen Sie meine Personalien: Name, Telefonnummer, Adresse?
Teña, o meu DNI (documento nacional de identidade)	Tenez, voici ma carte d'identité
	Hier haben Sie meinen Personalausweis
Teña, o meu pasaporte	Tenez, voici mon passeport
	Hier, meinen Pass
O cuarto é tranquilo?	Est-ce que la chambre est tranquille?
	Ist es ein ruhiges Zimmer?
Ten vistas ao mar?	Est-ce que la chambre a une vue sur la mer?
	Ist das Zimmer mit Blick aufs Meer?
Podemos xantar no hotel?	Peut-on prendre le repas de midi à l'hôtel?
	Können wir im Hotel zu Mittag essen?
Onde podemos cear por aquí preto?	Où peut-on aller dîner près d'ici?
	Wo können wir in der Nähe zu Abend essen?
O restaurante está no primeiro andar	Le restaurant est au premier étage
	Das Restaurant ist im ersten Stock
Temos un can, podémolo levar connosco?	Nous avons un chien: pouvons-nous l'emmener avec nous?
	Wir haben einen Hund. Können wir ihn mitnehmen?
A que hora serven o almorzo?	À quelle heure le petit-déjeuner est-il servi?
	Wann wird das Frühstück serviert?

09.00 h
almorzo
petit-déjeuner
Frühstück

14.00 h
xantar
déjeuner
Mittagessen

21.00 h
cea
dîner
Abendessen

Teño que deixarlle a chave cando saia?	Dois-je vous remettre la clé en sortant? Muss ich Ihnen den Schlüssel dalassen, wenn ich weggehe?
A que hora hai que deixar libre o cuarto?	À quelle heure faut-il quitter la chambre? Wann muss das Zimmer verlassen werden?
Podemos pagar coa tarxeta?	Peut-on régler par carte bancaire? Können wir mit Kreditkarte bezahlen?
Onde asino?	Où dois-je signer? Wo muss ich unterschreiben?
Págolle en efectivo	Je vous paie en espèces Soll ich Ihnen bar bezahlen?
Déame a factura, por favor	Donnez-moi la facture, s'il vous plaît Könnte ich bitte eine Quittung haben?
Saímos no avión da noite, podemos deixar as maletas e recollelas despois?	Nous prenons le vol du soir; pouvons-nous laisser les bagages et les reprendre plus tard? Wir nehmen das Flugzeug am Abend/in der Nacht. Können wir die Koffer hier lassen und sie später abholen?

INFORMACIÓN TURÍSTICA, CHEGADA E ALOXAMENTO
INFORMATION TOURISTIQUE, L'ARRIVÉE ET LE LOGEMENT
TOURISTENINFORMATION, ANKUNFT UND UNTERKUNFT

No cámping

Au camping Auf dem Campingplatz

Boas tardes. Temos unha reserva para unha caravana	Bonsoir. Nous avons une réservation pour une caravane Guten Abend. Wir haben für einen Wohnwagen reserviert
Hai algunha parcela para unha tenda de tres?	Y a-t-il un emplacement pour une tente trois personnes? Gibt es einen Platz für ein Dreierzelt?
Ten sombra?	Est-il ombragé? Ist es ein schattiger Platz?
Está lonxe dos servizos?	Est-ce qu'il est loin des installations sanitaires? Ist es weit von den Toiletten entfernt?
Onde están as duchas, por favor?	Où sont les douches, s'il vous plaît? Entschuldigung, wo sind die Duschen?
A auga é potable?	L'eau est potable? Ist das Wasser trinkbar?
A que hora pecha a tenda?	À quelle heure ferme le magasin? Bis wann ist der Laden offen?
A que hora abre o supermercado?	À quelle heure ouvre le supermarché? Wann öffnet der Supermarkt?

INFORMACIÓN TURÍSTICA, CHEGADA E ALOXAMENTO
INFORMATION TOURISTIQUE, L'ARRIVÉE ET LE LOGEMENT
TOURISTENINFORMATION, ANKUNFT UND UNTERKUNFT

Ata que hora se pode pór música?	Jusqu'à quelle heure peut-on mettre de la musique? Bis wann kann man Musik hören?
Por onde se baixa á praia?	Par où accède-t-on à la plage? Wie kommt man zum Strand?

Genial! Super!
Toll!

QUE BEN!

É un sitio precioso!	C'est un endroit superbe! Es ist ein wunderschöner Ort!
Que ben! Queda un cuarto libre!	Génial! Il reste une chambre de libre! Toll! Ein Zimmer ist frei!
Seguro que volveremos en canto poidamos	Sûr que nous reviendrons dès que nous le pourrons Ich bin mir sicher, dass wir wiederkommen werden, sobald es uns möglich ist
Tratáronnos de marabilla. Moitas grazas	L'accueil a été magnifique. Merci beaucoup Sie waren sehr freundlich. Vielen Dank
Foi unha descuberta!	Toute une découverte! Dies war eine super Entdeckung!
Encantounos falar convosco!	Nous avons été ravis de parler avec vous! Es hat uns sehr erfreut mit Ihnen zu sprechen!

Zut! Aie aïe aïe!
Oh je!

ALÁ VAI!

Fáltame a maleta. É vermella e ten rodas	Il me manque ma valise. Elle est rouge et elle a des roues Ich habe den Koffer verloren. Er ist rot und hat Räder
No noso cuarto vai moita calor, pódenos dar outro máis fresco?	Il fait très chaud dans notre chambre; pourrait-on en avoir une plus fraîche? In unserem Zimmer ist es sehr heiß. Könnten wir ein kühleres haben?
Na ducha non sae a auga ben quente	L'eau de la douche n'est pas très chaude Das Wasser in der Dusche wird nicht warm
Non dou baixado as persianas	Je n'arrive pas à baisser les stores Ich kann die Rolladen nicht herunter lassen
Síntoo, quedoume a chave dentro	Désolé: ma clé est restée à l'intérieur Es tut mir Leid. Ich habe den Schlüssel drinnen vergessen
Esta noite non demos durmido co ruído que houbo	Cette nuit nous n'avons pas pu fermer l'oeil à cause du bruit Diese Nacht konnten wir wegen dem Lärm nicht schlafen
Queremos cambiar de cuarto	Nous voulons changer de chambre Wir möchten ein anderes Zimmer haben

47

Orientación

S'ORIENTER SICH ORIENTIEREN

Por onde se vai...?

PAR OÙ ALLER...? WIE KOMME ICH ZU/NACH...?

(todo) recto/direito
tout droit
immer Geradeaus

á dereita
à droite
Rechts

á esquerda
à gauche
Links

o cruzamento
le carrefour
die Kreuzung

o semáforo
le feu rouge
die Ampel

Desculpe, señor, por onde se vai á catedral?	S'il vous plaît, monsieur, pour aller à la cathédrale? Entschuldigen Sie bitte, wie komme ich zur Kathedrale?
Perdoe, para ir ao parque de Bonaval?	S'il vous plaît, pour aller au parc de Bonaval? Entschuldigung, wie komme ich zum Bonavalpark?
Por favor, o mercado da Laxe está preto de aquí?	S'il vous plaît, le marché de la Laxe est près d'ici? Entschuldigung, ist der Laxe-Markt hier in der Nähe?
Sabe dalgunha farmacia por aquí?	Y a-t-il une pharmacie dans le coin? Wissen Sie, wo es hier in der Nähe eine Apotheke gibt?
Indiquemo, por favor, no plano	Vous pouvez me l'indiquer sur le plan, s'il vous plaît? Zeigen Sie es mir bitte auf dem Plan
Está lonxe/preto de aquí?	Est-ce que c'est loin/près d'ici? Ist es weit von hier/Ist es in der Nähe?
Canto tardaremos a pé?	Cela prend combien de temps à pied? Wie lange haben wir zu Fuß?
É céntrico?	C'est au centre-ville? Ist es im Stadtzentrum?
Non, está nas aforas!	Non, c'est en banlieue! Nein, es ist außerhalb der Stadt!
Graciñas polas indicacións	Merci pour les renseignements Vielen Dank für Ihre Hinweise

◻ **aquí**
ici
hier

◻ **alí**
là
dort

◻ **alá**
là-bas
dort drüben

◻ **arriba**
en haut
oben

◻ **subir**
monter
hinaufgehen

◻ **baixar**
descendre
hinuntergehen

◻ **embaixo**
sous
unten

◻ **preto**
près
nahe

◻ **lonxe**
loin
weit

Todo recto e despois vire á dereita	Allez tout droit et tournez à droite Immer geradeaus und dann biegen Sie rechts ab
Non ten perda. Está mesmo ao final desta rúa	C'est facile. C'est juste au bout de cette rue Sie finden es sicher. Es ist gleich am Ende dieser Straße
É a terceira á dereita	C'est la troisième à droite Es ist die dritte (Straße) rechts
Perdoe señora, para chegar á estación do tren?	Pardon madame, pour aller à la gare ferroviaire? Entschuldigen Sie bitte, wie komme ich zum Bahnhof?

Siga sempre recto ata o cruzamento e alí pregunte	Allez tout droit jusqu'au carrefour; puis demandez Gehen Sie immer geradeaus bis zur Kreuzung und fragen Sie dort weiter
No coche, é mellor ir pola circunvalación	En voiture, il vaut mieux prendre la rocade Mit dem Wagen ist es besser die Umgehungsstraße zu nehmen
Colla a segunda rúa á esquerda	Prenez la deuxième rue à gauche Nehmen Sie die zweite (Straße) links
Na rotonda, colla dirección á Coruña	Au rond-point, prenez direction A Coruña Im Kreisel fahren Sie Richtung A Coruña

Perdoe, perdémonos. Para irmos á zona vella?	S'il vous plaît, nous nous sommes perdus. Pour aller dans la vieille ville? Entschuldigung, wir haben uns verlaufen. Wie kommen wir zur Altstadt?

Se baixamos por esta rúa e viramos á dereita, atoparémola?	Peut-on la trouver en descendant cette rue et en tournant à droite?
	Wenn wir diese Straße hinuntergehen und dann rechts abbiegen, werden wir sie dann finden?
Enganámonos, onde podemos dar a volta?	Nous nous sommes trompés; où pouvons-nous faire demi-tour?
	Wir haben uns verfahren. Wo können wir umdrehen?
É dirección prohibida!	C'est un sens interdit!
	Einfahrt verboten!
Dade a volta onda o semáforo	Faites demi-tour au feu rouge
	Kehren Sie an der Ampel um
É na dirección contraria	C'est dans l'autre sens
	Es ist in die entgegengesetzte Richtung
Enganeime, por onde se colle a autoestrada?	Je me suis trompé: par où peut-on prendre l'autoroute?
	Ich habe mich verfahren. Wie komme ich auf die Autobahn?

Transporte

LE TRANSPORT VERKEHRSMITTEL

En marcha!
ON Y VA! LOS GEHT`S!

billete de ida
billet aller
Hinfahrkarte

billete de volta
billet retour
Rückfahrkarte

estación
gare
Bahnhof

plataforma
quai
Bahnsteig

tren
train
Zug

autobús
bus
Bus

asento
place
Sitz

venda anticipada
guichet de réservation
Reservierung

A que hora sae o próximo autobús para Fisterra, por favor?	À quelle heure part le prochain bus à destination de Fisterra, s'il vous plaît? Entschuldigung, wann fährt der nächste Bus nach Fisterra?
Á unha e media	À une heure et demie Um halb zwei
Non hai outro máis cedo?	Il n'y a pas de départ plus tôt? Fährt keiner früher?
E pola tarde?	Et l'après-midi? Und am Nachmittag/Abend?
En que plataforma para o tren para Vilagarcía?	À quel quai s'arrête le train à destination de Vilagarcía? Auf welchem Bahnsteig hält der Zug nach Vilagarcía?
A que hora está prevista a chegada a Vigo?	À quelle heure est prévue l'arrivée à Vigo? Um wie viel Uhr ist die Ankunft in Vigo vorgesehen?
Ás tres menos cuarto	À trois heures moins le quart Um Viertel vor vier
Sae todos os días ou só aos sábados?	Il part tous les jours ou seulement le samedi? Fährt er jeden Tag oder nur samstags?

A hora prevista de chegada é as catro en punto	L'heure d'arrivée prévue est à quatre heures pile Die Ankunftszeit ist um Punkt vier Uhr vorgesehen
Podo pagar coa tarxeta?	Est-ce que je peux régler avec ma carte bancaire? Kann ich mit Kreditkarte bezahlen?
O despacho de billetes, por favor?	Le guichet, s'il vous plaît? Entschuldigung, wo ist der Fahrkartenschalter?
Canto custa o billete?	Combien coûte le billet? Wie viel kostet eine Fahrkarte?
Fan desconto co carné de estudante?	La carte d'étudiant donne droit à une réduction? Gibt es eine Preisermäßigung mit dem Studentenausweis?
Os xubilados teñen desconto?	Est-ce que les retraités bénéficient d'un tarif réduit? Gibt es eine Ermäßigung für Rentner?
Quería un billete para Ourense, para o tren da unha e media da tarde, por favor	Un billet à destination d'Ourense pour le train de treize heures trente, s'il vous plaît Ich möchte bitte eine Fahrkarte nach Ourense für den Zug um halb zwei
Un billete de ida e volta, por favor	Un billet aller-retour, s'il vous plaît Eine Rückfahrkarte, bitte
Non, grazas, só ida	Non merci, aller simple Nein, danke. Nur Hinfahrt

Agarde, creo que teño solto	Attendez, je crois que j'ai de la monnaie Einen Moment, bitte. Ich glaube, dass ich Bargeld habe
Graciñas/Grazas	Merci Danke schön/Danke
Como podo chegar ao centro desde a estación?	Comment faire pour joindre le centre-ville depuis la gare? Wie komme ich vom Bahnhof zum Stadtzentrum?
Que hora é?	Quelle heure est-il? Wie spät ist es?

As horas
Les heures Die Uhrzeit

1:00 A unha
Une heure
Ein Uhr

1:30 A unha e media
Une heure et demie
Halb zwei

1:40 As dúas menos vinte
Deux heures moins vingt
Zwanzig vor zwei

1:45 As dúas menos cuarto
Deux heures moins le quart
Viertel vor zwei

3:00 As tres
Trois heures
Drei Uhr

3:30 As tres e media
Trois heures et demie
Halb vier

4:45 As cinco menos cuarto
Cinq heures moins le quart
Viertel vor fünf

8:15 As oito e cuarto
Huit heures et quart
Viertel nach acht

11:10 As once e dez
Onze heures dix
Zehn nach elf

11:25 As once e vinte e cinco
Onze heures vingt-cinq
Fünf vor halb zwölf

7:40 As oito menos vinte (da mañá/da tarde/da noite)
Huit heures moins vingt (du matin/de l'après-midi/du soir)
Zwanzig vor acht (morgens/nachmittags/abends)

Na estación marítima
À la gare maritime Am Hafen

A que hora sae o próximo barco para Cangas?	La prochain bateau pour Cangas est à quelle heure? Um wie viel Uhr fährt das nächste Schiff nach Cangas?
Canto tempo tarda en chegar?	La traversée prend combien de temps? Wie lange dauert die Überfahrt?
Podo sacar agora o billete de ida e volta?	Je peux acheter maintenant le billet aller-retour? Kann ich jetzt die Rückfahrkarte lösen?
Hai desconto para os xubilados?	Les retraités ont-ils droit à un tarif réduit? Gibt es eine Preisermäßigung für Rentner?
Os nenos teñen tarifa reducida?	Les enfants ont-ils droit à un tarif réduit? Haben Kinder einen ermäßigten Tarif?
A que hora sae das Cíes o último barco?	Le départ du derniere bateau dès les îles Cíes est à quelle heure? Um wie viel Uhr fährt das letzte Schiff von den Cíes-Inseln ab?

Na estrada
Sur la route Auf der Straße

TRANSPORTE / LE TRANSPORT / VERKEHRSMITTEL

TRANSPORTE
LE TRANSPORT
VERKEHRSMITTEL

Bos días, para coller a autoestrada, por favor?	Bonjour; pour prendre l'autoroute, s'il vous plaît? Guten Tag, wie komme ich bitte auf die Autobahn?
Despois dos semáforos, a segunda rúa á dereita	Après les feux, la deuxième rue à droite Nach den Ampeln, die zweite Straße rechts
É autovía ou autoestrada?	Est-ce une voie rapide ou une autoroute? Ist es eine Schnellstraße oder eine Autobahn?
Ten peaxe?	Est-ce une autoroute à péage? Muss man Autobahngebühr bezahlen?
Canto custa a peaxe?	Combien coûte le péage? Wie viel kostet die Autobahngebühr?

Na gasolineira
À la station service An der Tankstelle

Cheo, por favor	Le plein, s'il vous plaît Tanken Sie auf, bitte
O coche é de gasolina ou diesel?	Voiture essence ou diesel? Ist es ein Benziner oder Diesel?
Póñame cincuenta euros de gasolina, por favor	Servez-moi cinquante euros d'essence, s'il vous plaît Einmal für fünfzig Euro, bitte
Énchame o depósito	Le plein, s'il vous plaît Einmal volltanken, bitte
Gasóleo, por favor	Diesel, s'il vous plaît Dieselöl, bitte
Gasolina sen chumbo	Essence sans plomb Bleifreies Bezin
Canto é?	C'est combien? Was macht das?
Podo pagar coa tarxeta?	Je peux régler par carte bancaire? Kann ich mit Kreditkarte bezahlen?
Precisa o meu documento de identidade?	Avez-vous besoin de ma carte d'identité? Brauchen Sie meinen Personalausweis?
A tenda esta aberta?	Le magasin est ouvert? Ist der Laden offen?

Os servizos, por favor?	Les toilettes, s'il vous plaît? Die Toiletten, bitte?
Teñen xeo?	Avez-vous de la glace? Haben Sie Eis?
Quería inchar as rodas. O aire, por favor?	Je voudrais gonfler les pneus. Où est le tuyau d'air, s'il vous plaît? Wo kann ich Luft nachfüllen?

ALÁ VAI!

Zut! Aïe aïe aïe!
Oh je!

Fixémola boa! Aparcamos nun lugar prohibido!	Nous l'avons fait belle! On est garés sur une place de stationnement interdit! Oh je! Wir stehen im Parkverbot!
Que é isto! Unha multa!	Qu'est-ce que c'est que ça? Un P.-V.! Oh je! Ein Knöllchen!
Picamos unha roda, pódenos botar unha man?	Nous avons crevé un pneu. Pourriez-vous nous aider? Wir haben einen Platten. Können Sie uns bitte helfen?
Pódeme achegar á estación de servizo máis próxima?	Pourriez-vous me conduire jusqu'à la station service la plus proche? Könnten Sie mich bis zur nächsten Tankstelle bringen?

Podo facer unha chamada desde o seu móbil?	Puis-je passer un coup de fil sur votre portable? Könnte ich mit Ihrem Handy anrufen?
Desculpe, tivemos un accidente, pódenos axudar?	Nous avons eu un accident. Pourriez-vous nous aider, s'il vous plaît? Entschuldigung, wir hatten einen Unfall. Könnten Sie uns helfen?
Precisamos unha ambulancia!	Il nous faut une ambulance! Wir brauchen einen Krankenwagen!
Coñece un número de atención nas estradas?	Connaissez-vous un numéro d'appel d'urgence routière? Wissen Sie die Nummer der Straßenwacht?
Pode chamar á policía?	Pouvez-vous appeler la police? Können Sie bitte die Polizei anrufen?
Eu estou ben, non me doe nada	Je vais bien, je n'ai pas mal Mir geht's gut. Es tut mir nichts weh
Ao meu home dóelle o brazo	Mon mari a mal au bras Meinem Mann tut ein Arm weh
Á miña muller dóelle o pescozo	Ma femme a mal au cou Meiner Frau tut der Nacken weh
É mellor que non me mova, por favor!	Il vaut mieux ne pas me bouger, merci! Es ist besser, dass Sie mich nicht bewegen!
Socorro!	Au secours! Hilfe!
Axuda!	À l'aide! Hilfe!

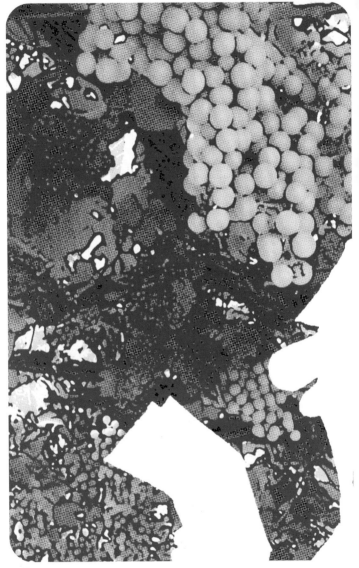

No bar/restaurante
AU BAR/AU RESTAURANT IN EINER BAR/EINEM RESTAURANT

Bo proveito.
A comer!

BON APPÉTIT. À TABLE! GUTEN APPETIT! ZU TISCH!

prato
assiette
Teller

garfo
fourchette
Gabel

coitelo
couteau
Messer

mantel
nappe
Tischdecke

vaso
verre
Glas

culler
cuillère
Löffel

pano de mesa
serviette
Serviette

copa
coupe
Weinglas

Ola!, ten unha mesa para tres?	Bonjour! Une table pour trois, s'il vous plaît? Guten Tag! Haben Sie einen Tisch für drei?
Podemos sentar naquela do fondo?	Est-ce qu'on peut prendre la table du fond? Können wir uns an diesen Tisch dort hinten setzen?
Temos reservada unha mesa, a nome de...	Nous avons réservé une table au nom de... Wir haben einen Tisch unter dem Namen... reserviert
Ten algunha mesa libre na terraza?	Avez-vous une table de libre sur la terrasse? Haben Sie einen Tisch auf der Terrasse frei?
Preferimos comer fóra, se hai sitio	Nous préférons manger dehors, s'il y a de la place Wir möchten lieber draußen essen, wenn etwas frei ist
A carta, por favor	La carte, s'il vous plaît Die Karte, bitte
Ten menú do día? Canto custa?	Avez-vous le plat du jour? Ça coûte combien? Haben Sie ein Tagesgericht? Wie viel kostet es?
Queriamos petiscar algo	On voudrait manger quelque chose de léger Wir möchten nur eine Kleinigkeit essen
Queriamos unha ración de marisco á grella	Nous voudrions une assiette de fruits de mer grillés Wir möchten eine Portion gegrillte Meeresfrüchte
Que peixe teñen?	Qu'est-ce que vous avez comme poisson? Welche Fischgerichte gibt es?

71

auga	viño do pais
eau	vin du terroir
Wasser	Landwein
viño tinto	refresco de laranxa
vin rouge	boisson à l'orange
Rotwein	Orangenlimonade
viño branco	refresco de limón
vin blanc	boisson au citron
Weißwein	Zitronenlimonade

Tráiame unha ración de chourizo, por favor	Apportez-moi une assiette de chourizo, s'il vous plaît Bringen Sie mir bitte eine Portion *Chourizo* (luftgetrocknete Paprikawurst)
Pónanos unha ración de tortilla	Une portion de tortilla (omelette aux pommes de terre) s'il vous plaît Eine Portion Tortilla (Kartoffelomelett), bitte
Tráianos unha tapa de pementos de Padrón, por favor	Une ration de poivrons (petits poivros verts frits) de Padrón, s'il vous plaît Eine Portion *pementos de Padrón* (typische Paprikaschoten aus Padrón), bitte
Pónanos unha ración de...	Servez-nous une assiette de... Eine Portion ..., bitte

xoubas
sardines
Kleine Sardinen

zorza
chair de chourizo pimentée
Paprikawurstfüllung

empanadilla
petits chaussons salés
Kleine gefüllte Teigtasche

tetilla
fromage galicien (au lait de vache)
Tetilla-Käse aus der Region

xamón
jambon
Schinken

empanada
tourte salée farcie
Gefüllte Teigtasche

pementos de Padrón
petits poivrons verts de Padrón
Paprikaschoten aus Padrón

lacón con grelos
jambonneau aux feuilles de navet
Vorderschinken mit Steckrübenstengel

polbo
poulpe
Oktopus

queixo
fromage
Käse

tortilla
omelette aux pommes de terre
Kartoffelomelett

xamón asado
jambon rôti
Gebratener Schinken

luras
calmars
Tintenfischringe

navallas
couteaux
Schwertmuscheln

chourizo
saucisson au piment rouge
Luftgetrocknete Paprikawurst

Pódenos traer un pouco máis de pan, por favor?	Pourriez-vous nous apporter encore du pain, s'il vous plaît? Könnten Sie uns noch ein bisschen Brot bringen, bitte?
A carne gústame pouco feita/ben feita	J'aime la viande saignante/à point Ich mag das Fleisch blutig/gut durch

73

Falta unha culler	Il manque une cuillère Es fehlt einen Löffel
Que ten de sobremesa?	Qu'est-ce qu'il y a comme dessert? Was gibt es zum Nachtisch?

flan
flan
Karamellpudding

queixo
fromage
Käse

froita
fruits
Obst

filloas
crêpes à la galicienne
Crêpes

torta de Santiago
tarte aux amandes
Mandelkuchen

xeado
glace
Eis

A conta, por favor	L'addition, s'il vous plaît Die Rechnung, bitte
Podemos pagar con tarxeta de crédito?	Pouvons-nous payer avec la carte bancaire? Können wir mit Kreditkarte bezahlen?
Onde está o servizo, por favor?	Où sont les toilettes, s'il vous plaît? Entschuldigung, wo sind die Toiletten?
Ao fondo, á dereita	Au fond à droite Am Ende, rechts
Déame unha tarxeta co enderezo do restaurante, por favor	Donnez-moi une carte avec l'adresse du restaurant, je vous prie! Haben Sie eine Visitenkarte des Restaurants?

Zut! Aïe aïe aïe!
Oh je!

ALÁ VAI!

Perdoe, pero isto non é o que pedimos	Excusez-moi, mais ceci n'est pas ce que nous avions commandé Entschuldigung, aber das ist nicht was wir bestellt haben
O bisté está pouco feito	Le bifteck est trop saignant Das Steak ist nicht gut durchgebraten
Perdoe, caeume o coitelo ao chan, pódeme traer outro?	Excusez-moi, mon couteau est tombé par terre: pourriez-vous m'en apporter un autre? Entschuldigung, mir ist das Messer auf den Boden gefallen. Können Sie mir bitte ein anderes bringen?
Desculpe, pero coido que a conta non está ben	Excusez-moi mais je pense qu'il y a une erreur dans l'addition Entschuldigung, aber ich glaube, dass die Rechnung nicht stimmt
O libro de reclamacións, por favor?	Le cahier des réclamations, s'il vous plaît? Das Beschwerdebuch, bitte?

De compras

FAIRE DES ACHATS BEIM EINKAUFEN

Case me gusta!

J´AIME BIEN! DAS GEFÄLLT MIR!

No (super)mercado
Au (super)marché Im Supermarkt

Bos días, teñen pan fresco?	Bonjour, avez-vous du pain frais? Guten Tag, haben Sie frisches Brot?
Quería un quilo de mazás	Je voudrais un kilo de pommes Ich möchte ein Kilo Äpfel
Póñame medio quilo de laranxas	Une livre d'oranges, s'il vous plaît Ein halbes Kilo Orangen, bitte
Quería un paquete de arroz e unha botella de viño	Je voudrais un paquet de riz et une bouteille de vin Ich möchte eine Packung Reis und eine Flasche Wein
Unha ducia de ovos, por favor	Une douzaine d'oeufs, s'il vous plaît Ein Dutzend Eier, bitte
Déame unha lata de atún e un litro de leite, por favor	Je voudrais une boîte de thon et un litre de lait, s'il vous plaît Eine Dose Thunfisch und einen Liter Milch, bitte

Canto custa o quilo de mazás?	Quel est le prix d'un kilo de pommes? Wie viel kostet ein Kilo Äpfel?
A canto van as ameixas?	Les prunes, ça coûte combien? Wie viel kosten die Pflaumen?
Quería un par de plátanos para comer agora	Je voudrais deux bananes. C'est pour consommer tout de suite Ich möchte zwei Bananen, und ich möchte sie gleich essen
Un quilo de laranxas, por favor	Un kilo d'oranges, s'il vous plaît Ein Kilo Orangen, bitte
Non as hai máis grandes? Estas son pequenas	En avez-vous de plus grandes? Celles-ci sont trop petites Gibt es keine größeren? Diese sind zu klein
Non as ten máis maduras?	En avez-vous de plus mûres? Haben Sie keine, die reifer sind?
Así abonda, graciñas	C'est bon comme ça, merci Das ist genug, danke
Quería un melón maduriño/verde	Je voudrais un melon mûr/vert Ich möchte eine reife/grüne Melone
Máis ben maduro, por favor	Plutôt mûr, s'il vous plaît Eher reif, bitte
Ten bistés de tenreira/de porco?	Je voudrais des biftecks de génisse/de porc? Haben Sie Kalbschnitzel/ Schweineschnitzel?

pan pain Brot	**ovos** oeufs Eier
peixe poisson Fisch	**mazás** pommes Äpfel
melón melon Melone	**laranxas** oranges Orangen
tomates tomates Tomaten	**pementos** poivrons Paprika
xamón jambon Schinken	**aceite** huile Öl
pasta pâtes Teigwaren	**viño** vin Wein
sal sel Salz	**auga** eau Wasser
leite lait Milch	**carne** viande Fleisch
froita fruits Obst	**peras** poires Birnen
sandía pastèque Wassermelone	**plátanos** bananes Bananen
leituga salade Salat	**ameixas** prunes Pflaumen
queixo fromage Käse	**arroz** riz Reis
conservas conserves Konserven	**manteiga** beurre Butter
azucre sucre Zucker	

(Números: véxase páxina 20)
(Nombres: voir page 20)
(Zahlen: siehe S. 20)

Quería peitugas de polo	Je voudrais des blancs de poulet Ich möchte Hähnchenbrust
Póñame medio quilo, por favor	Servez-m'en une livre, s'il vous plaît Ein halbes Kilo, bitte
Pódemas cortar?	Pourriez-vous les couper? Können Sie sie mir schneiden, bitte?
Quería medio quilo de xoubas, por favor	Une livre de petites sardines, s'il vous plaît Ich möchte ein halbes Kilo kleine Sardinen, bitte
Págolle a vostede?	C'est à vous que je dois payer? Soll ich bei Ihnen zahlen?
Canto é todo?	Ça fait combien en tout? Wie viel macht es?
Pódeme dar unha bolsa, por favor?	Pourriez-vous me donner un sac, s'il vous plaît? Könnte ich bitte eine Plastiktüte haben?
Aquí ten: vinte euros	Voici: vingt euros Hier bitte: zwanzig Euro
Síntoo, pero non teño cambio	Excusez-moi, mais je n'ai pas de monnaie Es tut mir Leid, aber ich habe kein Kleingeld
Aquí ten a volta	Voici la monnaie Hier haben Sie das Wechselgeld

No banco
À la banque In der Bank

cartos argent Geld		**solto** de la monnaie Kleingeld	
billete billet Geldschein		**cambio/troco** change Wechselgeld	
moeda monnaie Münze		**tarxeta (de crédito)** carte bancaire Kreditkarte	

Bos días, quería trocar cartos	Bonjour, je voudrais changer de l'argent Guten Tag, ich möchte Geld wechseln
Quería trocar dólares/libras/coroas/rublos/iens a euros	Je voudrais changer en euros des dollars/livres/couronnes/roubles/yens en euros Ich möchte Dollars/Pfund/Kronen/Rubel/Yen in Euro wechseln
A como está o cambio, por favor?	Quel est le taux de change, s'il vous plaît? Wie ist der Wechselkurs, bitte?
Canto é a comisión?	Combien prenez-vous de commission? Wie hoch ist die Gebühr?

Déamo en moeda/billetes pequenos, non en billetes grandes	Pas de gros billets, s'il vous plaît, de la monnaie/en petites billets Bitte in Münzen oder kleinen Scheinen, nicht in großen
Quería trocar este cheque de viaxe, por favor	Je voudrais changer ce chèque de voyage, s'il vous plaît Ich möchte diesen Reisescheck wechseln, bitte

Zut! Aïe aïe aïe!
Oh je!

ALÁ VAI!

Perdín a carteira, non sei onde a metín	J'ai perdu mon portefeuille. Je ne sais pas où je l'ai mis Ich habe die Brieftasche verloren. Ich weiß nicht, wo ich sie hingesteckt habe
Quedoume a carteira no coche. Un momento, por favor	J'ai laissé mon portefeuille dans la voiture. Un instant, s'il vous plaît Ich habe die Brieftasche im Wagen vergessen. Einen Moment, bitte
Aquí a está! Que susto!	Ah le voilà! J'ai eu peur! Hier ist sie! Was für ein Schreck!
O caixeiro de fóra non funciona	Le distributeur à l'extérieur est en panne Der Geldautomat draußen funktioniert nicht
O caixeiro tragoume a tarxeta	Le distributeur a avalé ma carte Der Geldautomat hat meine Kreditkarte verschluckt

A mercar roupa
Acheter des vêtements Kleidung einkaufen

camiseta
t-shirt
T-Shirt

saia
jupe
Rock

chaqueta
veste
Jacke

toalla
serviette de bain
Handtuch

camisa
chemise
Hemd

calcetíns
chaussettes
Socken

traxe de baño
maillot de bain
Badeanzug

bolso
sac à main
Tasche

pantalóns
pantalon
Hosen

zapatos
souliers
Schuhe

bikini
biquini
Bikini

roupa interior
sous-vêtements
Unterwäsche

luvas
gants
Handschuhe

traxe
costume
Anzug

chuvasqueiro
vêtement de pluie
Regenmantel

gorro
bonnet
Mütze

Onde esta a sección de home/muller/nenos?	Où se trouve le rayon homme/femme/enfant? Wo ist die Herren-/Damen-/Kinderabteilung?
Onde están os traxes de baño?	Où sont les maillots de bain? Wo sind die Badeanzüge?
A sección de roupa deportiva, por favor?	Le rayon vêtements de sport, s'il vous plaît? Die Sportabteilung, bitte?
Bos dias, buscaba un xersei para min	Bonjour; je cherche un pull pour moi Guten Tag, ich suche einen Pullover für mich
Haberá outro máis fino? Vai tanta calor!	Vous n'en auriez pas un autre plus fin, il fait tellement chaud! Haben Sie vielleicht einen dünneren? Es ist so heiß!
Teñen o mesmo noutras cores?	Avez-vous le même dans d'autres couleurs? Haben Sie das gleiche Teil in einer anderen Farbe?
Querería a mesma, pero en azul	Je voudrais le même, mais en bleu Ich möchte das gleiche, aber in blau
Quería o mesmo, pero en...	Je voudrais le même, mais en... Ich möchte das gleiche, aber in...
Onde están os probadores?	Où se trouve le salon d'essayage? Wo sind die Umkleidekabinen?
O meu número é o 46	Je fais du 46 Meine Größe ist 46

azul
bleu/bleue
Blau

negro/negra
noir/noire
Schwarz

laranxa
orange
Orange

verde
vert/verte
Grün

amarelo/amarela
jaune
Gelb

marrón
marron
Braun

lila
lilas
Lila

branco/branca
blanc/blanche
Weiß

vermello/vermella
rouge
Rot

rosa
rose
Rosa

Vou probar isto e mais estoutro pantalón	Je vais essayer ceci et cet autre pantalon aussi Ich probiere das hier an und diese Hosen
Cantas pezas podo levar ao probador?	Combien de vêtements est-ce que je peux emporter aux cabines d'essayage? Wie viele Kleidungsstück kann ich in die Umkleidekabine mitnehmen?
Cumpríame un máis grande	J'ai besoin d'une taille au-dessus Ich brauche ein größeres

Non terá un número máis?	Vous n'auriez pas une taille au-dessus? Haben Sie eine größere Größe?
Precisaba un número menos	J'aurais besoin d'une taille en moins Ich brauche eine kleinere Größe
Gústame este, pero estame pequeno	J'aime bien celui-ci, mais il est trop petit Mir gefällt dieser hier, aber er ist zu klein
Este gústame moito, lévoo	J'aime bien celui-ci, je le prends Dieser gefällt mir sehr. Ich nehme ihn.
Estes zapatos son xeitosos, pero apértanme un pouco	Ces chaussures sont jolies mais elles me serrent un peu Diese Schuhe sind genau richtig, doch sie sind mir ein bisschen zu klein
Admiten devolucións co recibo de compra?	Admettez-vous des remboursements avec le ticket? Sind Rückgaben mit dem Kassenzettel erlaubt?
Está rebaixado?	Il est en solde? Ist es heruntergesetzt?

Noutras tendas
Dans d'autres magasins Andere Läden

Teñen...? | Avez-vous...?
| Haben Sie ...?

crema de bronceado
de la crème solaire
Sonnencreme

loción antimosquitos
une lotion antimoustiques
Lotion gegen Stechmücken

un paraugas
un parapluie
Regenschirm

crema protectora (factor...)
une crème solaire (facteur..)
Sonnesschutzcreme (Faktor...)

unha botella de auga
une bouteille d'eau
eine Flasche Wasser

un mapa de estradas
une carte routière
eine Straßenkarte

lentes de sol
des lunettes de soleil
Sonnenbrille

un refresco
une boisson
ein Erfrischungsgetränk

un cargador de móbil
un chargeur de portable
ein Handyaufladegerät

Déame un bote de crema protectora, por favor | Je voudrais de la crème solaire, s'il vous plaît
| Geben Sie mir bitte eine Flasche Sonnenschutzcreme

Servizos postais e comunicación telefónica

SERVICE POSTAL ET COMMUNICATION TÉLÉPHONIQUE

POST UND TELEFON

Un saúdo para alá

ENVOYEZ LE BONJOUR LÀ-BAS VIELE LIEBE GRÜßE

En correos
À la poste Auf der Post

Bos días, quería un selo para unha postal	Bonjour, je voudrais un timbre pour carte postale Guten Tag, ich möchte eine Briefmarke für eine Postkarte
Quería tres selos para o estranxeiro	Je voudrais trois timbres pour l'étranger Ich möchte drei Briefmarken fürs Ausland
Quería enviar esta carta urxente	Je voudrais envoyer cette lettre en express Ich möchte diesen Brief per Eilpost schicken
Quería enviar un paquete certificado	Je voudrais envoyer un colis en recommandé Ich möchte ein Paket per Einschreiben schicken
Cantos días tarda en chegar a Barcelona?	En combien de jours est-il livré à Barcelone? Wie lange dauert es, bis es in Barcelona ankommt?
Canto custa mandar este paquete a Múnic?	Combien coûte l'envoi de ce colis à Munich? Wie viel kostet es dieses Paket nach München zu schicken?

93

Comunicación telefónica
Communication téléphonique Am Telefon

Sabe onde hai unha cabina telefónica?	Y a-t-il une cabine près d'ici? Wissen Sie, wo es eine Telefonzelle gibt?
Pódeme dar cambio para chamar por teléfono?	Auriez-vous de la monnaie pour téléphoner? Könnten Sie mir Kleingeld zum telefonieren geben?
Ola, por favor, quería falar con...	Allô, s'il vous plaît, je voudrais parler à... Hallo! Ich möchte mit ... sprechen
Si?	Allô? Ja?
Si, son eu. Quen é?	Oui, c'est moi. Qui est à l'appareil? Ja, ich bin es. Wer spricht?
Non entendo, perdoe. Pódeme falar máis amodo?	Excusez-moi, je ne comprends pas. Pourriez-vous parler plus doucement? Entschuldigung, ich verstehe nicht. Können Sie langsamer sprechen?

Non te sinto ben, teño mala cobertura	Je ne t'entends pas bien, je n'ai pas beaucoup de réseau Ich höre dich nicht gut. Ich habe schlechten Empfang
Podo facer a reserva por teléfono?	Est-ce que je peux faire la réservation par téléphone? Kann ich per Telefon reservieren?
Bos días, quería recargar o móbil	Bonjour, je voudrais recharger mon portable Guten Tag. Ich möchte mein Handy aufladen
Estáseme a acabar a batería, teño que poñela a cargar	Ma batterie est presque vide, je dois la recharger Mein Akku ist fast leer. Ich muss ihn aufladen
Preciso un cargador da marca...	J'ai besoin d'un chargeur de la marque... Ich brauche ein Aufladegerät der Marke...
Que prefixo teño que marcar para chamar a Australia?	Quel est l'indicatif pour téléphoner en Australie? Welche Vorwahl muss ich wählen, um nach Australien zu telefonieren?

De rolda viaxeira

EN TOURNÉE UNTERWEGS

A coñecer Galicia!

À LA DÉCOUVERTE DE LA GALICE! GALICIEN ENTDECKEN!

Perdoe, sabe onde está a oficina de información turística?	Excusez-moi, savez-vous où se trouve le bureau de tourisme? Verzeihung, wissen Sie, wo das Verkehrsbüro is t?
Hai excursións organizadas?	Y a-t-il des excursions organisées? Gibt es organisierte Ausflüge?
Estamos interesados en facer sendeirismo	Nous aimerions bien faire de la randonnée Wir möchten gerne wandern
Queremos facer unha excursión ao Carballiño	Nous voulons faire une excursion au Carballiño Wir wollen einen Ausflug nach O Carballiño machen

Faríanos ilusión visitar as Rías Baixas	On aimerait bien aller voir les Rías Baixas Es würde uns freuen die Rías Baixas zu besuchen
Interesaríanos facer un anaco do Camiño de Santiago	On aimerait bien faire un bout du chemin de Saint-Jacques Wir möchten gerne ein Stück des Jakobswegs gehen
Gustábanos coñecer Mondoñedo, se hai algunha excursión organizada	On aimerait bien aller à Mondoñedo en voyage organisé Wir würden gern Mondoñedo kennen lernen, wenn es organisierte Ausflüge gibt
Que museos nos recomenda nesta vila?	Quels musées nous conseillez-vous dans cette ville? Welche Museen empfehlen Sie uns in dieser Stadt?
Pódese visitar a catedral desta hora?	Peut-on visiter la cathédrale à cette heure-ci? Kann man um diese Zeit die Kathedrale besichtigen?
A igrexa está aberta?	L'église est ouverte? Ist die Kirche offen?
Non, está pechada, abre para a misa das oito	Non, elle est fermée. Elle rouvre pour la messe de huit heures Nein, sie ist geschlossen. Sie öffnet für den Gottesdienst um acht Uhr
De que época é o mosteiro?	De quelle époque est le monastère? Aus welcher Zeit stammt das Kloster?

Ten un claustro románico do século trece	Il a un cloître roman du XIIIe siècle Es hat einen romanischen Kreuzgang aus dem 13. Jahrhundert
Cando podemos ver o botafumeiro?	Quand pouvons-nous voir l'encensoir? Wann können wir das Weihrauchfass sehen?
Perdoe, por onde se vai ao mercado das ostras?	S'il vous plaît, pourriez-vous me dire où se trouve le marché aux huîtres? Verzeihung, wie komme ich zum Austernmarkt?
Hai por aquí algún pazo que se poida visitar?	Est-ce qu'il y a près d'ici un manoir que l'on puisse visiter? Gibt es hier in der Nähe irgendeinen Herrensitz, den man besichtigen kann?
Canto custa a entrada?	Quel est le prix des entrées? Wie viel kostet der Eintritt?
Fan desconto para xubilados/ estudantes/menores de trinta?	Est-ce qu'il y a une réduction pour retraités/étudiants/ moins de trente ans? Gibt es eine Preisermäßigung für Rentner/Studenten/ Kinder/Leute unter dreißig?
Os nenos entran de balde?	Pour les enfants c'est gratuit? Können Kinder gratis hineingehen?

Lecer, deporte e espectáculos

LOISIRS, SPORTS ET SPECTACLES

FREIZEIT, SPORT UND VERANSTALTUNGEN

A pasalo ben!

AMUSEZ-VOUS BIEN! VIEL VERGNÜGEN!

Na praia
À la plage Am Strand

☐	**toalla** serviette Handtuch	☐	**algas** algues Algen
☐	**area** sable Sand	☐	**salitre** salpêtre Salpeter
☐	**auga do mar** eau de mer Meereswasser	☐	**táboa de surf** planche de surf Surfbrett
☐	**beira do mar** bord de mer Meeresufer		

Haberá máis sombra onda as dunas?	Peut-être y aura-t-il plus d'ombre du côté des dunes? Ist es vielleicht schattiger neben den Dünen?
Hai duchas nesta praia?	Est-ce qu'il y a des douches sur cette plage? Gibt es Duschen an diesem Strand?
Pareceume ver un arroaz!	Je crois que j'ai vu un marsouin! Ich glaube, ich habe einen Großen Tümler gesehen!
Sabe dalgún bar para comer algo, preto da praia?	Y a-t-il un bar-restaurant près de la plage? Gibt es hier in der Nähe des Strandes eine Bar, wo man etwas essen kann?

Hai algunha praia nudista na zona?	Est-ce qu'il y a une plage nudiste dans le coin? Gibt es irgendeinen Nudistenstrand in der Nähe?
Onde podo mercar crema protectora?	Où est-ce que je pourrais acheter de la crème solaire? Wo kann ich Sonnencreme kaufen?
Hai algún posto de bebidas frescas?	Y a-t-il un débit de boissons fraîches? Gibt es hier einen Stand für Erfrischungsgetränke?
Un posto de xeados, por favor?	Un marchand de glaces, s'il vous plaît? Einen Eisstand, bitte?
Esta praia é perigosa?	Est-ce que cette plage est dangereuse? Ist dieser Strand gefährlich?
Está prohibido o baño?	Est-ce que la baignade est interdite? Ist es verboten zu baden?
Hoxe hai marusía!	Aujourd'hui la mer est houleuse! Heute ist hoher Seegang!
Organizan actividades de mergullo?	Organisez-vous des activités de plongée? Organisieren sie Tauchsportveranstaltungen?
Unha boa praia para facer surf?	Y a-t-il une bonne plage pour faire du surf? Wo kann ich einen guten Strand finden, um zu surfen?
Canto custa alugar o equipo?	La location du matériel coûte combien? Wie viel kostet es eine Ausrüstung zu mieten?

Canto custa alugar unha barca/unha pedaleta? | Combien coûte la location d'une barque/d'un pédalo?
Wie viel kostet es ein Boot/Tretboot zu mieten?

ALÁ VAI!

Zut! Aïe aïe aïe!
Oh je!

Botei demasiado tempo ao sol e queimeime. Ten algo para a pel?	Je suis resté trop longtemps au soleil et j'ai pris un coup de soleil. Avez-vous quelque chose pour la peau? Ich habe zu lange in der Sonne gelegen und habe mich verbrannt. Haben Sie etwas für die Haut?
Picoume unha faneca, pódeme dar algo para a dor?	J'ai été piqué par une vive. Avez-vous quelque chose pour calmer la douleur? Ich bin von einem Franzosendorsch gestochen worden. Können Sie mir etwas für die Schmerzen geben?
Picoume no pé esquerdo/ no dereito	Elle m'a piqué au pied gauche/au pied droit Es hat mich am linken/ rechten Fuß gestochen
Próeme o brazo	J'ai le bras qui me démange Mir brennt der Arm
Dóeme o lombo	J'ai mal au dos Mir tut der Rücken weh
O meu mozo colleu unha insolación	Mon ami a pris une insolation Mein Freund hat einen Sonnenstich

De sendeirismo
En randonnée Beim Wandern

Quería facer sendeirismo, pódeme recomendar algunha ruta?	Je voudrais faire de la randonnée; pourriez-vous me conseiller quelques circuits? Ich möchte wandern. Können Sie mir einen Weg empfehlen?
Canto tempo leva chegar ao alto do monte?	Combien de temps faut-il pour parvenir au sommet? Wie lange braucht man bis zur Bergspitze?
É unha ruta dura? Non estamos afeitos a camiñar moito	C'est un circuit difficile? On n'a pas trop l'habitude de marcher Ist es ein harter Weg? Wir sind es nicht gewöhnt, viel zu laufen
Onde está o refuxio máis preto?	Où se trouve le refuge le plus proche? Wo ist die nächste (Touristen)hütte?
Hai algún regato no que nos poidamos bañar?	Y a-t-il une rivière pour faire une baignade? Gibt es irgendeinen Bach, wo wir baden können?

Espectáculos e festivais
Spectacles et festivais Veranstaltungen und Festivals

cine
cinéma
Kino

teatro
théâtre
Theater

música
musique
Musik

danza
danse
Tanz

baile tradicional
danse traditionnelle
traditioneller Tanz

música tradicional
musique traditionnelle
traditionelle Musik

entradas
tickets
Eintrittskarten

programa
programme
Programm

na rúa
dans la rue
auf der Straße

no teatro
au théâtre
im Theater

Sabe dalgún festival de cine/música/teatro nestes días?	Savez-vous s'il y a un festival de cinéma/musique/théâtre ces jours-ci? Gibt es in diesen Tagen irgendwelche Filmfestspiele oder Musik/Theather Festivals?
E espectáculos para nenos?	Et des spectacles pour enfants? Und Kinderveranstaltungen?

Faláronnos dun espectáculo infantil de monicreques, sabe se é hoxe?	On nous a parlé d'un spectacle de marionnettes pour enfants; savez-vous si c'est pour aujourd'hui? Man hat uns von einer Marionettenveranstaltung für Kinder erzählt. Wissen Sie, ob es heute ist?
Onde se compran as entradas?	Où est-ce qu'on achète les tickets? Wo kann man die Eintrittskarten kaufen?
As entradas xa están á venda?	Les tickets sont déjà en vente? Hat der Kartenverkauf schon begonnen?
Pódeme dicir o horario de venda de entradas?	Quel est l'horaire du guichet? Können Sie mir die Öffnungszeiten für den Kartenverkauf sagen?
Pódense comprar por internet?	Est-ce qu'il est possible d'acheter les tickets en ligne? Kann man sie im Internet kaufen?
Gustaríanos ir ao cine esta noite. Recoméndasnos algunha película?	On aimerait bien aller au cinéma ce soir. Tu nous recommandes un film? Wir möchten diesen Abend ins Kino gehen. Können Sie uns einen Film empfehlen?
Pódeme deixar o xornal para ver a carteleira, por favor?	Pourriez-vous me prêter le journal pour voir la rubrique des films, s'il vous plaît? Könnten Sie mir bitte die Zeitung leihen, um zu sehen welche Filme laufen?

Dixéronnos que hai un festival de danza na rúa, sabe a que hora é?	On nous a dit qu'il y avait un festival de danse dans la rue; savez-vous à quelle heure?
	Wir haben gehört, dass es ein Tanzfestival auf der Straße gibt. Wissen Sie, um wie viel Uhr es ist?
Hai algún festival folk esta semana?	Est-ce qu'il y a un festival folk cette semaine?
	Gibt es irgendein Folkfestival diese Woche?
Ten algún folleto coa programación do teatro?	Avez-vous un dépliant sur le programme des activités du théâtre?
	Haben Sie eine Broschüre mit dem Theaterprogramm?
Déame dúas entradas para o primeiro anfiteatro	Donnez-moi deux tickets pour le premier balcon
	Geben Sie mir bitte zwei Eintrittskarten für den ersten Rang
Prefiro para butaca, na platea e centrada	Je préfère un fauteuil au centre de l'orchestre
	Ich möchte lieber einen Parkettsitz in der Mitte des Parketts
Estas teñen boa visibilidade?	Est-ce qu'on voit bien la scène de ces places-là?
	Haben diese eine gute Sicht?

De romaría
Jour de fête Auf einem Volksfest

Gustaríanos ir ver a rapa das bestas	On aimerait aller voir la rapa das bestas (tonte dex chevaux) Wir möchten gern zum *rapa das bestas*-Fest (Volksfest, wo man Pferdemähnen stutzt) gehen
Cando é a festa da Virxe do Carme?	À quelle date a lieu la fête de la Virxe do Carme? Wann ist das Fest der Virxe do Carme?
Queriamos ir a algunha festa gastronómica	Nous voudrions assister à une fête gastronomique Wir möchten zu einem gastronomischen Fest gehen
É esta fin de semana a Festa do Queixo?	Est-ce que la Fête du Fromage a lieu ce week-end? Ist an diesen Wochenende das Käsefest?
Hai algunha romaría popular estes días?	Est-ce qu'il y a une fête populaire ces jours-ci? Gibt es irgendein volkstümliches Fest in diesen Tage?
Cando é a festa do lugar?	Quand est-ce qu'a lieu la fête du village? Wann ist das Dorffest?

A que hora comeza a actuación dos gaiteiros?	À quelle heure commencent à jouer les sonneurs de cornemuse? Wann beginnt der Auftritt der Dudelsackspieler?
Esta noite hai festa?	Est-ce qu'il y a une fête ce soir? Gibt es heute Abend ein Fest?
Unha cunca de viño tinto/branco, por favor	Une jatte de vin rouge/blanc, s'il vous plaît Eine Schale Rot/Weißwein, bitte
Que teñen para xantar?	Qu'est-ce que vous proposez comme déjeuner? Was gibt es zum Mittagessen?

Zut! Aie äie äie!
Oh je!

ALÁ VAI!

Chove. Acabou a festa, logo?	Il pleut. La fête est finie, n'est-ce pas? Es regnet. Ist nun das Fest zu Ende?
Roubáronme a carteira	On m'a volé mon portefeuille Mir ist die Brieftasche gestohlen worden
Por favor, avisen a Policía	S'il vous plaît, prévenez la Police Rufen Sie bitte die Polizei
Perdín o reloxo a bailar	J'ai perdu ma montre en dansant Ich habe meine Uhr beim Tanzen verloren

Saúde e urxencias

SANTÉ ET SERVICE D'URGENCES GESUNDHEIT UND NOTFÄLLE

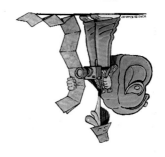

Axuda!
À L'AIDE! HILFE!

☐ **a testa**
la tête
die Stirn

☐ **o brazo**
le bras
der Arm

☐ **unha moa**
une dent
der Backenzahn

☐ **os cadrís**
les reins
die Nieren

☐ **o estómago**
l'estomac
der Magen

☐ **a man**
la main
die Hand

☐ **a gorxa**
la gorge
der Hals

☐ **un óso**
un os
ein Knochen

☐ **a perna**
la jambe
das Bein

☐ **as costas**
le dos
der Rücken

☐ **o xeonllo**
le genou
das Knie

☐ **ferida**
blessure
die Wunde

☐ **o pé**
le pied
der Fuß

☐ **o oído**
l'oreille
das Ohr

☐ **un ollo**
un oeil
ein Auge

☐ **bocha(s)**
ampoule(s) au pied
Blase(n)

No médico
Chez le médecin Beim Arzt

Dóeme unha perna	J'ai mal à la jambe Mir tut ein Bein weh
Chóranme os ollos seguido	J'ai les yeux qui pleurent sans cesse Mir tränen ständig die Augen
Dóenme os cadrís desde onte	J'ai mal aux reins depuis hier Seit gestern tun mir die Nieren weh
Cando lle empezou a doer?	Depuis quand avez-vous mal? Wann haben die Schmerzen begonnen?
Hai uns días	Depuis quelques jours Vor ein paar Tagen
Onte á noite	Depuis hier soir Gestern Abend
Hoxe	Depuis aujourd'hui Heute
Esta mañá	Depuis ce matin Heute Morgen

Por onde lle doe exactamente?	Où avez-vous mal exactement? Wo genau tut es Ihnen weh?
Por aquí	Ici Hier
Máis arriba/abaixo	Plus haut/plus bas Weiter oben/unten
Aquí próeme moito	Ici ça me démange beaucoup Hier brennt es sehr
Creo que teño febre, doutor	Je crois que j'ai de la fièvre, docteur Ich glaube, dass ich Fieber habe, Herr Doktor
Teño seguro privado	J'ai une assurance-maladie privée Ich habe eine private Versicherung
Teño a tarxeta sanitaria do meu país	J'ai la carte de santé de mon pays Ich habe die Versicherungskarte meines Heimatlandes
Padece de algo?	Êtes-vous souffrant? Leiden Sie an einer Krankheit?
Teño reuma	J'ai des rhumatismes Ich habe Rheuma
Son diabético	Je suis diabétique Ich bin Diabetiker
Teño problemas de ósos/ de circulación/de estómago	J'ai des problèmes aux os/ de circulation/à l'estomac Ich habe Knochen/ Blutkreislauf/ Magenprobleme
É alérxico/alérxica a algo?	Êtes-vous allergique? Sind Sie gegen etwas allergisch?

Son alérxico ao leite	Je suis allergique au lait Ich bin gegen Milch allergisch
Non tolero a penicilina	Je ne tolère pas la pénicilline Ich kann Penizillin nicht vertragen
Téñolle alerxia ao glute	Je suis allergique au gluten Ich bin gegen Gluten allergisch
Fanme mal os froitos secos	Les fruits secs me rendent malade Ich kann getrocknete Früchte nicht vertragen
Son alérxico ao chocolate	Je suis allergique au chocolat Ich bin gegen Schokolade allergisch
Está a tomar algunha medicación?	Est-ce que vous prenez des médicaments? Nehmen Sie im Moment irgendwelche Medikamente?
Estou embarazada, non sei se podo tomar eses medicamentos	Je suis enceinte; je ne sais pas si je peux prendre ces médicaments Ich bin schwanger. Ich weiß nicht, ob ich diese Medikamente einnehmen darf
Recéiteme un xenérico para a tose	Prescrivez-moi un produit générique contre la toux Verschreiben Sie mir ein Generikum gegen den Husten
Déitese e tome este xarope. O mellor é descansar na cama un par de días	Couchez-vous et prenez ce sirop. Vous devriez rester au lit un ou deux jours Legen Sie sich hin und nehmen Sie diesen Sirup ein. Das Beste ist, dass Sie sich ein paar Tage im Bett ausruhen

Na farmacia
Chez le pharmacien In der Apotheke

☐ **pastillas**
comprimés
Tabletten

☐ **xarope**
sirop
Sirup

☐ **crema**
crème
Creme

☐ **xiringa**
seringue
Injektionsspritze

☐ **esparadrapo**
sparadrap
Heftplaster

☐ **pomada**
pommade
Salbe

☐ **vacina**
vaccin
Impfung

☐ **inxección**
piqûre
Spritze

☐ **apósitos**
pansements
Pflaster

☐ **alcol**
alcool
Alkohol

☐ **compresas**
serviettes hygiéniques
Kompressen

☐ **tampóns**
tampons
Tampons

☐ **protector labial**
protecteur labial
Lippenpomade

Bos días, pódeme dar algo para a gorxa?	Bonjour, pourriez-vous me donner quelque chose pour la gorge? Guten Tag, könnten Sie mir etwas für den Hals geben?
Teño febre	J'ai de la fièvre Ich habe Fieber

Mirei a febre e teño 38 graos	J'ai pris ma température et j'ai 38° Ich habe das Fieber gemessen und ich habe 38 Grad
Ten algo para aliviar as picaduras dos mosquitos?	Avez-vous quelque chose pour les piqûres de moustique? Haben Sie etwas, um die Mückenstiche zu mildern?
Unha loción antimosquitos, por favor	Je voudrais une lotion contre les moustiques, s'il vous plaît Eine Lotion gegen Stechmücken, bitte
Quería un leite hidratante	Je voudrais du lait hydratant Ich möchte eine Feuchtigkeitsmilch
Unha loción para as queimaduras	Une lotion pour les brûlures Eine Lotion für Brandwunden
Quería leite para bebés/ un biberón/cueiros	Je voudrais du lait pour bébés/un biberon/des couches Ich möchte Babymilch/eine Saugflasche/Windeln
Un paquete de preservativos, por favor	Une boîte de préservatifs, s'il vous plaît Ein Päckchen Präservative, bitte
Un paquete de tampóns	Un paquet de tampons Ein Päckchen Tampons
Un paquete de compresas	Un paquet de serviettes hygiéniques Ein Päckchen Damenbinden
Un paquete de cueiros	Un paquet de couches Ein Paket Windeln
Son alérxico/alérxica a...	Je suis allergique à... Ich bin allergisch gegen ...

Falar para coñecer xente

PARLER POUR RENCONTRER DES GENS

SPRECHEN, UM LEUTE KENNEN ZU LERNEN

Unha parola!

UN BRIN DE CAUSETTE! GEPLAUDER!

Facendo amigos

Se faire des amis Freunde werden

Ola! Eu chámome... E ti?	Salut! Je m'appelle... Et toi? Hallo! Ich heiße... Und du?
O meu nome é...	Mon prénom est... Mein Name ist...
Son sueco	Je suis Suédois Ich bin Schwede
Como se chama vostede?	Comment vous appelez-vous? Wie heißen Sie?
Como te chamas?	Comment tu t'appelles? Wie heißt du?
Que frío vai hoxe!	Qu'est-ce qu'il fait froid aujourd'hui! Heute ist es sehr kalt!
É normal tanta calor en Galicia?	C'est normal en Galice toute cette chaleur? Ist es normal, dass es in Galicien so heiß ist?
Vai unha calor que non se atura!	Quelle chaleur, c'est insupportable! Diese Hitze ist unerträglich!
Pero, chove así sempre?	Non mais, il pleut tout le temps comme ça? Aber, regnet es immer so?

Estou en Galicia de vacacións, gústame moito	Je suis en vacances en Galice, j'adore Ich bin in Galicien im Urlaub. Es gefällt mir sehr
É a primeira vez que estás en Galicia?	C'est la première fois que tu viens en Galice? Bist du zum ersten Mal hier in Galicien?
Non, é a segunda vez que veño	Non, c'est la deuxième fois que je viens Nein, es ist das zweite Mal, dass ich komme
Ti es de aquí?	Tu es d'ici? Bist du von hier?
Onde traballas?	Où est-ce que tu travailles? Wo arbeitest du?
Eu traballo nunha empresa/ escola/fábrica/oficina	Je travaille dans une entreprise/école/usine/bureau Ich arbeite in einer Firma/Schule/Fabrik/im Büro
Estás casado/casada?	Est-ce que tu es marié/mariée? Bist du verheiratet?
Eu tamén, e teño unha filla	Moi aussi, et j'ai une fille Ich auch und ich habe eine Tochter

A facer as beiras

La drague Den Hof machen

Ola! Chámome..., e ti?	Salut! Je m'appelle..., et toi? Hallo! Ich heiße.... Und du?
Vés moito por aquí?	Tu viens souvent par ici? Kommst du oft hierher?
Es de aquí?	Tu es du coin? Bist du von hier?
Eu son de fóra, non che falo moito galego	Moi je ne suis pas d'ici; je ne parle pas trop le galicien Ich bin nicht von hier. Ich spreche nicht sehr gut Galicisch
Es moi simpático/ simpática, gústasme	Tu es vraiment sympa, tu me plais Du bist sehr sympathisch. Du gefällst mir
Se queres quedamos e vémonos outra vez	Si tu veux on n'a qu'à se revoir Wenn du willst, verabreden wir uns und sehen uns noch mal
Cando?	Quand ça? Wann?
A que hora te podo chamar?	À quelle heure je peux t'appeler? Um wie viel Uhr kann ich dich anrufen?

Onde nos vemos?	Où est-ce qu'on se voit?
	Wo treffen wir uns?
Se queres, quedamos aquí mesmo, mañá a esta hora	Si tu veux on n'a qu'à se revoir ici même demain à cette heure-ci
	Wenn du willst, treffen wir uns morgen um diese Zeit hier
Dásme o teu teléfono?	Tu me passes ton numéro de téléphone?
	Gibst du mir deine Telefonnummer?
Que feito/feita!	Tu n'es vraiment pas mal, tu sais!
	Du bist wirklich süß!
Que riquiño/riquiña es!	Tu sais que tu es mignon/ mignonne, toi?
	Wie lieb du bist!

PETIT PRÉCIS GRAMMATICAL

Ce précis offre une synthèse des éléments grammaticaux généraux pour un étranger qui souhaite connaître la manière d'articuler le vocabulaire expliqué dans ce guide dans des domaines et situations incontournables.

Genre et nombre. Le galicien possède deux genres, le masculin et le féminin. Comme dans d'autres langues romanes, la plupart des substantifs masculins termine en **–o**, tandis que les féminins terminent en **–a**. Les substantifs terminés en consonne ou en **–e** peuvent être masculins ou féminins et, dans la plupart des cas, le genre est le même que chez les autres langues romanes.

mscl		fem	
amigo	ami	amiga	amie
almorzo	petit-déjeuner	cea	dîner

Quant au nombre, le galicien en possède deux: le singulier et le pluriel. Le pluriel est généralement formé en ajoutant un **–s** au substantif.

L'article. Le galicien a un article défini et indéfini et une forme pour chaque genre et nombre. Ainsi, un substantif accompagné d'un article nous révèle toujours son genre. Lorsqu'un adjectif accompagne le nom, celui-ci s'accorde avec lui en genre et en nombre.

Article indéfini	Sing		Pluriel	
mscl	**un** amigo	un ami	**uns** amigos	des amis
fém	**unha** amiga	une amie	**unhas** amigas	des amies

Article défini	Sing		Pluriel	
mscl	**o** amigo	l'ami	**os** amigos	les amis
fém	**a** amiga	l'amie	**as** amigas	les amies

Les pronoms personnels. Voici les formes des pronoms personnels en galicien:

	Sing		Pluriel	
1e pers.	**Eu**	Je	**Nós**	Nous
2e person, tutoiement	**Ti**	Tu	**Vós**	Vous
2e person, vouvoiement	**Vostede**	Vous	**Vostedes**	Vous
3e person, mscl	**El**	Il	**Eles**	Ils
3e person, fem	**Ela**	Elle	**Elas**	Elles

Les formes **vostede/vostedes** appartiennent à la 2e personne. Cependant elles se conjuguent comme les formes de la 3e personne. Elles sont employées lorsqu'on s'adresse à des inconnus ou dans des registres de politesse plus élevés.

💬 **Les démonstratifs.** Le galicien présente trois degrés dans la formation du démonstratif, que dans le cas des pronoms personnels: un degré de proximité par rapport au locuteur, un autre degré de proximité par rapport à l'auditeur et un troisième degré signalé en fonction de l'éloignement tant par rapport au locuteur que par rapport à l'auditeur. En voici les formes:

	Singulier	Pluriel
Masc.	**Este, ese, aquel**	**Estes, eses, aqueles**
	Ce	Ces
Fém.	**Esta, esa, aquela**	**Estas, esas, aquelas**
	Cette	Ces

💬 **Les possessifs.** Lorsqu'ils sont directement liés à un substantif, les possessifs en galicien sont toujours accompagnés de l'article. Ils ne le sont pas, par contre, lorsqu'ils sont situés après le verbe (**ese coche é meu** cette voiture est à moi). Ainsi, les formes des possessifs dépendent du possesseur et de l'objet possédé en genre, en nombre et en personne. En voici les formes accompagnées de l'article:

	Singulier		Pluriel	
1P.				
Masc.	O **meu** amigo	Mon ami	Os **meus** amigos	Mes amis
	O **noso** amigo	Notre ami	Os **nosos** amigos	Nos amis
Fém.	A **miña** amiga	Mon amie	As **miñas** amigas	Mes amies
	A **nosa** amiga	Notre amie	As **nosas** amigas	Nos amies
2P.				
Masc.	O **teu** amigo	Ton ami	Os **teus** amigos	Tes amis
	O **voso** amigo	Votre ami	Os **vosos** amigos	Vos amis
Fém.	A **túa** amiga	Ton amie	As **túas** amigas	Tes amies
	A **vosa** amiga	Votre amie	As **vosas** amigas	Vos amies
3P.				
Masc.	O **seu** amigo	Son ami	Os **seus** amigos	Ses amis
	O **seu** amigo	Leur ami	Os **seus** amigos	Leurs amis
Fém.	A **súa** amiga	Son amie	As **súas** amigas	Ses amies
	A **súa** amiga	Leur amie	As **súas** amigas	Leurs amies

💬 **Le verbe.** Les verbes en galicien finissent en **-ar**, **-er** ou **–ir**, et se conjuguent en faisant l'accord avec le sujet en personne et en nombre. Le galicien, comme la plupart des langues romanes, est riche en temps verbaux et possède des verbes réguliers et irréguliers.

Le tableau suivant reprend la conjugaison au présent de verbes très fréquents tels que **ser** (être), **estar** (être), **ter** (avoir) et **ir** (aller). Le tableau suivant montre la conjugaison au présent des trois groupes de verbes réguliers.

	ser /estar	être	ter	avoir	ir	aller
Le présent						
je	**son/estou**	suis	**teño**	ai	**vou**	vais
tu	**es/estás**	es	**tes**	as	**vas**	vas
il/elle/vous	**é/está**	est	**ten**	a	**vai**	va
nous	**somos/estamos**	sommes	**temos**	avons	**imos**	allons
vous	**sodes/estades**	êtes	**tedes**	avez	**ides**	allez
ils/elles/vous	**son/están**	sont	**teñen**	ont	**van**	vont

	andar	marcher	comer	manger	vivir	vivre
Le présent						
je	and**o**	marche	com**o**	mange	viv**o**	vis
tu	and**as**	marches	com**es**	manges	viv**es**	vis
il/elle/vous	and**a**	marche	com**e**	mange	viv**e**	vit
nous	and**amos**	marchons	com**emos**	mangeons	viv**imos**	vivons
vous	and**ades**	marchez	com**edes**	mangez	viv**ides**	vivez
ils/elles/vous	and**an**	marchent	com**en**	mangent	viv**en**	vivent
Le passé						
je/j' ai	and**ei**	marché	com**ín**	mangé	viv**ín**	vécu
tu as	and**aches**	marché	com**iches**	mangé	viv**iches**	vécu
il/elle/vous a	and**ou**	marché	com**eu**	mangé	viv**iu**	vécu
nous avons	and**amos**	marché	com**emos**	mangé	viv**imos**	vécu
vous avez	and**astes**	marché	com**estes**	mangé	viv**istes**	vécu
ils/elles/vous ont	and**aron**	marché	com**eron**	mangé	viv**iron**	vécu
Le futur						
je	and**arei**	marcherai	com**erei**	mangerai	viv**irei**	vivrai
tu	and**arás**	marcheras	com**erás**	mangeras	viv**irás**	vivras
il/elle/vous	and**ará**	marchera	com**erá**	mangera	viv**irá**	vivra
nous	and**aremos**	marcherons	com**eremos**	mangerons	viv**iremos**	vivrons
vous	and**aredes**	marcherez	com**eredes**	mangerez	viv**iredes**	vivrez
ils/elles/vous	and**arán**	marcheront	com**erán**	mangeront	viv**irán**	vivront

Construction de la phrase. En règle générale, la phrase en galicien se construit tel que: SUJET + VERBE + COMPLÉMENTS

Exemples: Eu son Lois Je suis Lois Meu pai non traballa en Santiago Mon père ne travaille pas à Saint-Jacques de Compostelle As túas amigas viñeron ao concerto onte á noite cuns compañeiros Tes amies sont venues au concert hier soir avec des collègues.

Cependant, si l'on veut mettre en relief une partie de la phrase, il est possible d'inverser l'ordre des éléments: A min ninguén me dixo nada! Personne ne m'a rien dit! Chamoume alguén? Quelqu'un m'a appelé? Mañá ou pasado heite chamar Demain ou après-demain je t'appellerai.

KURZER GRAMMATIKANHANG

Dieser Anhang enthält eine Zusammenfassung der galicischen Grammatik, die für den Fremdsprachensprecher nützlich ist, wenn er wissen will, wie man den aufgeführten Wortschatz gebrauchen kann. Es handelt sich deshalb um einen sehr allgemeinen und praktischen Überblick über die Grammatik, wo wir nur die wichtigsten und unerlässlichen Aspekte zeigen.

Genus und Numerus. Galicisch hat zwei Genera: maskulin und feminin. Wie in anderen lateinischen Sprachen enden die meisten maskulinen Substantive auf **-o** und die femininen auf **-a**. Die Substantive, die auf Konsonant oder **-e** enden, können maskulin oder feminin sein. Und in den meisten Fällen stimmt das Geschlecht mit den anderen romanischen Sprachen überein.

Was den Numerus angeht, unterscheidet man in der galicischen Sprache zwischen Singular und Plural. Den Plural bildet man normalerweise, indem man dem Substantiv einen **-s** hinzufügt.

	Mask		Fem	
	amigo	Freund	amiga	Freundin
	almorzo	Frühstück	cea	Abendessen

Der Artikel. Galicisch hat einen bestimmten und einen unbestimmten Artikel und eine Form für jedes Genus und für Singular/Plural. So gibt ein Substantiv, das von einem Artikel begleitet wird, uns immer das Genus an. Falls das Substantiv von einem Adjektiv begleitet wird, so stimmt dieses in Genus und Numerus mit dem Substantiv überein.

Unbestimmter Artikel	Sing		Pl	
Mask.	**un** amigo	Ein Freund	**uns** amigos	Freunde
Fem.	**unha** amiga	Eine Freundin	**unhas** amigas	Freundinnen

Bestimmter Artikel	Sing		Pl	
Mask.	**o** amigo	Der Freund	**os** amigos	Die Freunde
Fem.	**a** amiga	Die Freundin	**as** amigas	Die Freundinnen

Die Personalpronomen. Die Formen der Personalpronomen auf Galicisch sind folgende:

	Sing		Pl	
1. Pers.	**Eu**	Ich	**Nós**	Wir
2. Pers. vertraulich	**Ti**	Du	**Vós**	Ihr
2. Pers. höflich	**Vostede**	Sie	**Vostedes**	Sie
3. Pers. Mask	**El...**	Er	**Eles**	Sie
3. Pers. Fem	**Ela...**	Sie	**Elas**	Sie

Die Formen **vostede/vostedes** sind 2. Person, aber wenn man sie konjugiert, macht man es mit der 3. Person. Man braucht sie, wenn man mit Unbekannten spricht oder in eher förmlichen Situationen.

Die Demonstrativpronomen. Die galicische Sprache hat in der Bildung von Demonstrativpronomen, sowie auch beim Personalpronomen, drei Stufen: Eine, die dem Sprecher näher liegt; eine andere, die dem Zuhörer näher liegt; und eine dritte, welche weiter entfernt vom Sprecher sowie vom Zuhörer ist.

	Sing	Pl
Mask.	**Este, ese, aquel**	**Estes, eses, aqueles**
	Dieser hier/dieser da/dieser dort	Diese hier/diese da/diese dort
Fem.	**Esta, esa, aquela**	**Estas, esas, aquelas**
	Diese hier/diese da/diese dort	Diese hier/diese da/diese dort

Die Possessivpronomen. Auf Galicisch sind die Possessivpronomen, wenn sie sich direkt auf ein Substantiv beziehen, immer von einem Artikel begleitet. Wenn sie dagegen hinter einem Verb stehen, dann stehen sie ohne Artikel (**ese coche é meu** = dieser Wagen gehört mir). Also verändern sich die Formen der Possessivpronomen in Genus, Numerus und in der Person, da es darauf ankommt, wer etwas besitzt und was er/sie besitzt. Die Formen, die zusammen mit dem Artikel stehen, sind folgende:

	Sing		Pl	
1.P.				
Mask.	O **meu** amigo	Mein Freund	Os **meus** amigos	Meine Freunde
	O **noso** amigo	Unser Freund	Os **nosos** amigos	Unsere Freunde
Fem.	A **miña** amiga	Meine Freundin	As **miñas** amigas	Meine Freundinnen
	A **nosa** amiga	Unsere Freundin	As **nosas** amigas	Unsere Freundinnen
2.P.				
Mask.	O **teu** amigo	Dein Freund	Os **teus** amigos	Deine Freunde
	O **voso** amigo	Euer Freund	Os **vosos** amigos	Eure Freunde
Fem.	A **túa** amiga	Deine Freundin	As **túas** amigas	Deine Freundinnen
	A **vosa** amiga	Eure Freundin	As **vosas** amigas	Eure Freundinnen
3.P.				
Mask.	O **seu** amigo		Os **seus** amigos	
	Sein/ihr/Ihr Freund		Seine/ihre/Ihre Freunde	
Fem.	A **súa** amiga		As **súas** amigas	
	Seine/ihre/Ihre Freundin		Seine/ihre/Ihre Freundinnen	

Das Verb. Auf Galicisch enden die Verben auf **–ar**, **-er** oder **ir** und sie werden konjugiert, so dass sie mit dem Subjekt im Numerus und in der Person übereinstimmen. Wie in den meisten romanischen Sprachen gibt es viele Zeitformen und es gibt regelmäßige und unregelmäßige Verben.